U0045200

文化文創 021

星雲之道
——領悟人間佛教

高希均 著

目錄

第二部
星雲的情義

第三部

大師的慈悲

第四部

吾「道」不孤

附錄　星雲大師

出版者的話

星雲本懷

——超越宗教的智慧與慈悲

王力行

「天下文化」二〇一七年將屆三十五週年，這個以「傳播進步觀念、充實閱讀生活」為宗旨，以「讀一流書、做一流人、建一流社會」為實踐的出版事業群，已出版過近四千五百種書。平均每年被閱讀過的書，可以堆積成六十座「一〇一大樓」。

三十多年來，我們驚喜與感恩，在「傳播進步觀念」的路上並不孤寂。從經濟、社會、文化、教育，甚至宗教上，我們都有同道。佛光山開山宗師星雲大師，就是其中之一。

星雲大師集改革、創意、教化於一身，推動「人間佛教」，成為舉世少有的佛教領袖。面對數百萬信徒，他闡述「人間佛教」的精義：「過去佛教給人的印象是山林的、寺院的、出家人的、老人的、消極的、出世般的佛教……今後我們要從山林走向都市，從寺廟推動到家庭，從僧侶擴大到信眾，以出世的思想，做入世的事業。這是人間佛教的精神，也是佛陀的本懷。」

六十七年前，星雲大師隻身走出苦難中國，來到貧窮困苦的台灣。依著佛陀本懷，以宗教利他的宗教精神，推行人間佛教，創立佛光山，開展現代化的佛教事業。

星雲本懷的影響

座落宜興白塔山星雲大師的祖庭大覺寺，現代化的佛教建築、法師們的經義開示、親切的義工導引，加上大氣魄的經營與貼心式的管理，讓佛教擺脫只會經懺禮誦的傳統刻板印象，在網路創新的年代，佛教隨著時代的改變而進步。

猶如十六世紀在歐洲發生的宗教改革，引領歐陸從黑暗時代脫身而出，踏上現代之路；星雲大師闡揚原始佛教的妙義，促成佛教復興與改革，以台灣為根基，往全球各地開枝散葉。他曾以詩明志：

心懷度眾慈悲願，身似法海不繫舟；
問我平生何功德，佛光普照五大洲。

星雲九十，見證星雲之道。

見證星雲之道

高希均教授與星雲大師有同鄉之誼，皆來自江蘇；讓他們相惜之交的，卻是對現代知識觀念的追求與對人生美德的堅持。星雲大師在本書的〈問道〉篇裡說道：「你（高教授）當初創辦遠見天下文化，出版的書籍與雜誌，與我佛教的學術性比較能融合，而且我也應該追求新知。」

「開始懂你們的價值，你們出版的書，我看來都是思想、理念，是救苦、救悲、救社會、救人心的，跟我傳道的理念，可以說很一致的。」這是他們的友誼啟始。

君子之交三十年，由高教授來說「星雲之道」：（一）人間佛教的實踐（二）星雲的情義（三）大師的慈悲（四）吾「道」不孤，本書從四個面向來解讀星雲大師的想法。以經濟學家的思索，或許少了些宗教味，卻更見大師在人間的慈悲與智慧。

在美國教書四十年的高教授，常用一句話道盡複雜的理論與觀念，他用「改革、改善、改變」來形容星雲大師九十年來所做的事：「他的一生：改革了佛教，改善了人心，改變了世界。」

中華文化自古即有友人以詩書相贈、文人雅士與高僧有詩文往來的傳統。今日高教授為星雲大師所寫《星雲之道》，封面書名又邀得余秋雨先生親自題字，襯得君子「和而不同」的理念闡發，曖曖內含光。

大師撰寫的著作早已超越「等身」，如再加上相關論述，更難以計數。高教授不是佛教徒，他能跳脫宗教的信仰與崇拜，客觀地觀察星雲大師，自是與一般書不同。這本《星雲之道》正是他帶領讀者閱讀、了解與學習星雲大師。

（作者為遠見・天下文化事業群發行人）

問道星雲大師

提問：高希均、王力行

問道，是中華文化關於入世與出世交流的悠久傳統，見諸六朝之後，高僧觀機逗教，為世間煩惱開出一帖帖的解方；而文人雅士的人間之問，為佛教在人間開展福慧之所。

二〇一六年五月，經濟學家高希均教授、新聞雜誌出版人王力行發行人，與星雲大師因緣相聚於佛光山紫竹林。他們喜談人間百事，從「白吃午餐行不行？」談到「全球紛爭下的佛教發展」，從人心惟危之細膩到世界局勢的變動，星雲大師心包太虛，回應高教授與王發行人兩位的生命之問，精采對話，節錄於後：

白吃午餐行不行？

高希均教授（以下稱高教授）：

佛光山開山五十年，您到台灣的時間，幾乎近七十年。我跟您有一個共同的背景，您在揚州長大，我在南京長大，我們都在一九四九年到了台灣。

我在台灣的眷村長大，努力了五十年，或許有一些非常有限的成績，可是你，一位二十三歲的揚州和尚，到了台灣，帶著鄉音的你，身無分文，七十多年後，開創的「人間佛教」遍及全球。這是一個空前的成就。因此我常說：人間佛教改革了宗教，改善了人心，改變了世界。今天利用這個難得的機會，跟您請教一些問題。

我學的是經濟，經濟學家很在乎一個觀念，就是自食其力。凡事都要靠自己，換一個流行的說法就是「天下沒有白吃的午餐」，什麼事情都有代價，不能不勞而獲。

但是我好奇要請教：當我們來到佛陀紀念館，有這麼好的設備與環境，卻不收錢，我非常驚訝。博物館、美術館等，都需門票收入支持營運，為什麼佛光山一個錢也不收呢？如果一年有一千萬的人到佛陀紀念館，門票的收入可能就是十億新台幣，這不是個小數目。雖然您的徒弟跟您建議，您都說不行，能不能跟我們說明一下？

信仰與白吃午餐的不同

星雲大師（以下稱大師）**：**當初，沒有經過什麼人介紹，我們彼此做為好朋友，一做幾十年。當然，你生在南京，大約有十年的緣分，我在南京也有十年的緣分。

你到了台灣，我也到了台灣，我們都是在六、七十年前開始走過來的。在貧窮的時代，你從事教育，到美國去留學，我做和尚，在寺廟裡面苦行；你從學問上去力爭上游，我在佛門，在宗務與傳道上，想出人頭地。

你創辦遠見天下文化，出版的書籍與雜誌，與我佛教的學術性比較能融合，而且我也應該求一點新知。開始懂你們的價值，你們出版的書，我看來都是思想、理念，是救苦、救悲、救社會、救人心的。跟我傳道的理念，可以說很一致的，例如你提倡把家庭的酒櫃改成書櫃。

說到讀書，我沒有進過小學，但不表示我沒有讀書。我覺得讀書不一定要老師來教我們讀，甚至也不一定要去學校，我自教，我自學。自教是佛陀的學習方法，你自己都不教，誰來幫忙你呢？自學是孔老夫子的想法，「學而時習之，不亦樂乎！」可以說你們出版的作品，都成為我學習的對象。

正如你說，「天下沒有白吃的午餐」，我覺得這個太公道了，很公平啊！這個世界是互相的，你貢獻給我的，我犧牲給他的，這就是公平。沒有白吃的午餐，就是消費者要付費。

我們的社會發展，以及科技的進步，都要謹記與參考你說的這些觀念。

我之前不知道你是威斯康辛大學的終身教授，只當你是君子，有道之人，很自然成為朋友。世俗的一些朋友也好，男女也好，交往就是愈來愈深啊！那麼多年來，承蒙你不棄，我也不計較我們信仰上的不同；各人有自己的信仰，就連捐錢給我蓋佛光山的人，他們和我的信仰也不見得一樣。

我們有不同的宗教信仰，但我們有一個共同的道，以及目標上應該要有的規範。所以做人之道，處事之道，要和諧，我覺得在台灣的幾十年裡，遠見與天下文化對台灣社會的經濟成長，提供了很大的貢獻。

結緣「大陸行」

高教授：不敢當！剛才的那番話，對我們將近三百位同事是很大的鼓勵。以大師你的高度，重視我們的出版品，我們很感謝。聽了一番話之後，我想起了兩個故事。

第一個故事，在我二十三歲的時候。你二十三歲的時候到台灣，我二十三歲的時候，剛好大學畢業有機會到美國念書。

一九六〇年一月二十日，美國當時最年輕的總統甘迺迪宣誓就職。他宣示就職演講時講了兩句話，傳誦一時。

他說：「不要問國家能為你做什麼，要想你能為國家做什麼。」

我那個時候二十五歲，到美國快兩年，聽了這話，感觸深刻。那是反共抗俄的時代，經國先生常常講，「青年創造時代，時代考驗青年」，我到了美國發現，雖然這個國家對我們很客氣，給外國學生獎學金，最後還是要靠你自己。

一直到今天，如果有機會跟台灣的大學生見面，我常告訴他們，不要老是說政府欠你什麼，譬如薪水太低了，你要先問你自己能夠做什麼。

大師你在二十三歲時，口袋裡一個錢也沒有，在台灣講著揚州話，很多人聽不懂，可是你居然能夠在這幾十年的時間裡，創造空前的，幾乎沒人可以想像的人間佛教。在全世界，特別是華人世界，發生了這麼大的影響力。

我跟你見面之前，已經先佩服你二十多年。當時，你剛剛從大陸回來，我們主動邀請你在台北演講，題目叫「大陸行」，地點在太平洋百貨。我從來沒進過百貨公司，一去才知在頂樓。電梯擠爆掉了，根本擠不上去。那個地方可以容納一千人，我們認為已經夠大了，結果超過一千多人，把整個場地都擠滿。我才發現星雲大師有這麼大的群眾魅力及號召力。

從那之後，我們有機會進一步接觸。偶然我接到你打電話來，鄉音聽得特別親切，你說：「高教授，我是星雲，有空到佛光山走走」，那我就很興奮啦，很快過來看你。這麼多年來，我們很高興出版十餘本你的著作好書，我相信在華人的世界中，產生了很大的影響。

大　師：高教授，聽你這一番話，讓我想起，一般人對佛教有一個錯誤的看法，認為佛教是空無消極，是為了自己，沒有愛心；但是我說不是。

佛陀到人間來，他要示教利喜，他是愛人的。

我在青少年的時候，覺得我們應該要愛人，愛父母，愛國家，愛社會，友愛大眾；尤其佛教後來教我要慈悲，慈悲是超過一般人的愛。所以廣泛推動愛，大慈大悲，不必想國家為我做什麼。我一向不希望「人人為我」，就算是在貧窮艱難的時刻，我都想要怎麼去「我為人人」。

這個世界上，人與人的關係，在你們經濟學上面，不見得有一定的因果；在佛教當然是因果的關係。財富的積累有好多種，商業的買賣只是財富的其中一種。信佛教，有的不一定要靠金錢，有時是看個交情吧！這個東西雖不值錢，但很寶貴。有的時候，在道德和恩情上，有感染性的。這國家社會對我這麼好，為什麼我不能對你好一點呢？所以從經濟學看，說我不重成本，說我在給你；從宗教看，只要你投資，你播了種，怕將來不成長嗎？不開花、不結果嗎？所以經濟學上有給人家，就會有酬勞；佛教講這個緣分，應該是廣義的，不一定是經濟學上面的直接關係。

能給，就是富貴之人

談因果，就是緣！我重視「緣」，所以結緣。我給他一個笑容，給他一句好話，給他一個點頭，我沒有什麼服務啊，沒拿錢幫助你啊，說一兩句話鼓勵你，給你歡喜，這也是一種布施。這一、兩句話，比起錢，還要更高。可以是無分別的，可以是人情，感情，心情，有好多種不同的布施。

總之一句，金錢也好，心情也好，人生的功名富貴也好，都是很複雜。雖然你講得失的經濟，如成本、利息、紅利，我也不是說不懂，但我自己的人生呢，想可以多一點給人，我也歡喜，所以「服務為快樂之本」。

利人的喜悅，畢竟「給」比「受」更好，光接受人家我覺得太貧窮了，可以多給人，表示我是富有的。所以我教大家，應該常說「我是富貴的」，這不是歧視窮人，而是鼓勵大家做個能「給」的富貴人。

兒時的臘八粥

我在童年時，每到十二月上旬，奉媽媽命拿一個碗，到寺廟裡面去盛臘八粥回家吃。這記憶難以忘記。所以我現在在台灣、在全世界蓋的寺廟，到了十二月就給大家臘八粥，我們準備幾千碗幾萬碗粥。前兩天台灣舉辦素食博覽會，一天可以做幾萬碗的臘八粥；我們不收錢，你有緣來吃一碗，我們也花不了多少錢。過去大家或許是吃不起，現在結個緣，也不一定要跟我說謝謝。或許是因為吃起來蠻有味道的，吃過的人覺得很好，可能就有一顆善良的種子，植入他的菩薩心中，將來就會成長。

好人肯定有好報

高教授：

你的說法，按照現代心理學是非常有道理的，我把你剛剛講的話稍微綜合一下。

我們天下文化出過一本書，這本書書名是《好人肯定有好報》（*Why Good things happen to good people*）。作者是兩位美國醫生。這本書提出十個方法表示你是好人。我就先猜猜，這兩位心理學家背景出身的醫生，到底在說哪十件很重要的事？

可能因為我念經濟，第一個想到的是有錢的人捐錢，那當然是好事。但十個方法裡頭沒有一件事情跟錢有關。你剛才講的，給人家一個微笑，關心人家，鼓舞人家，稱讚人家，聽人家，勸人家……這十個方法都是無形的，與你提倡的人間佛教非常相似，跟你的做法更接近。

這本書在台灣非常受歡迎。你不用念現代心理學，也不必看那本書就已經走在它的前面了！

要好人做更好的人

大師：

高教授，世間上誰是好人？誰是壞人？有時候也很難講。這個標準很難訂。

拿一個例子來講好了，應該世界上讀書人都是好人，這也是有危險的，可能詐騙啊，可能竊盜啊，可能貧窮逼得他們沒有路走。

假如我們是好人，我們有一個高度，能幫助他們，不必跟他對立。

我記得佛門裡有一個故事，有一百多人在禪堂參禪，後來出了一個小偷被大家知道了，大家抓住這個參禪的小偷向堂主報告，要把這個小偷趕出去。

堂主說：「哦，哦——」，他沒有要趕這個人離開。

過了不久，小偷又犯規被人家發現，眾人說：「不能老是讓他在這裡偷東西，趕他走！」

堂主：「哦，哦——」，還是沒有趕他走。

後來，他又再偷。大家生氣了：「堂主，不趕這個小偷離開，我們全部都離開。」不屑與小人為伍，不跟這個小偷在一起參禪。

堂主說：「我接受你的意見，你們通通都離開。」這個小偷就留下來。

怎麼會這樣呢？堂主說：「趕這個小偷出去，他不能自立啊！你們各位都是好人，都是君子，你們到社會都有發展。他有這個『偷』的壞習慣，我這個禪堂都不能容他，我怎麼提倡禪道呢？」小偷知道了相當慚愧。這比千言萬語的教導、棒打還有用，決心要改過。

再舉一個例子，禪師晚上坐在佛殿裡面，小廟嘛，打坐參禪。一個小偷進來一看，唉唷，一個和尚坐在那裡。欸，也不動，像在睡覺。他便輕手輕腳慢慢摸，摸到那個功德箱，拿了錢就走。正要出門，禪師開口了：「站住！」小偷嚇一跳，看禪師沒什麼舉動，只是叫站住。禪師接著說：「喂，你拿了佛祖的錢，不說一聲謝謝就要離開嗎？」

「這樣喔，謝謝！」小偷說了便走。

後來他在別處犯了案，給警察抓住了，就招供在寺廟也偷了東西。警察就來查案，老和尚說：「他不是小偷，他沒有偷。」警察說：「唉唷，老和尚，老禪師！他自己都招供了，你還要幫他說什麼好話？」老和尚說：「我不是幫他說好話，你問他，他拿了這個錢有說謝謝的，他說謝謝還是小偷嗎？」警察一聽老和尚這樣說就算了。後來，他果然改邪歸正變成很好的人。

教導這個社會，假如要做好人，要真心對別人給予、提拔、包容。做好人不要對立，否則就好不起來。要做好人，自己的慈悲要勝過他，我的智慧要高過他，我的能力要強過他，我的信念要超越他。這四個要件做好，好人就多了，這個社會大家就會受好的影響，都變成好的。假如社會壞人多，我希望好人要做個更好的人，產生影響與改變。

好人承受更多苦難

這個社會不一定是做好人真會有好報，反而是好人承受更多的苦難。

我們中華文化優點很多，但也不能說沒有缺點。比方說，西方崇拜英雄，你對大家有貢獻，大家捧你的場，讚揚你；在中華文化，你不能出頭，不然會受到攻擊。這是我幾十年經驗。做一個勇士會更平安，你要甘願接受更多的苦難。當然我是心甘情願的，所以我才快樂。假如我不甘願，我早就灰心了。辦教育、養老院、孤兒院，這不是我的，是社會的，是大家的。

在佛教裡，我也是一個信徒，我帶動大家，就是一分緣而已，一顆種子嘛！我不覺得這是我的功勞，是大家幫忙我，讓我有一個機會跟人們共同創造人間美好，真善美的希望。

對付壞人的方法

王力行發行人（以下稱「王發行人」）：大師，如果一個人他常常碰到壞人，碰到壞事，是否可以用「逆增上緣」來勉勵他？

大師：這就看他的心胸能不能諒解壞人，能不能包容壞人。當然我可以教他，教他的方法也有好多種。有的人直來直去的說「你錯了」，這個方法本來比較不容易讓人接受，有另外一種的方法反而更好。我舉個例。

我們普門高中有一個老師結婚，我替他證婚。一轉眼十多年不見，夫婦兩個人有了七、八個孩子。有一天他來找我，說結婚有了家庭，反而痛苦不堪。我問為什麼？他說現在家裡吃飯，兒女坐上桌就嫌：「爸爸，這個不好吃」「媽媽，這個不好吃」，一家人連吃個飯都弄得沒意思，不知道怎麼辦？

我出家人，家庭的事我也不太懂，不過總覺得我是師父，要有佛法告訴他一個辦法。我說，這樣吧，你試一試，明天吃飯的時候，當小兒女嫌這個不好吃，嫌那個不好吃，你不要說：「我是偉大的爸爸，賺錢給你們吃，又要嫌不好」；你要更加謙虛地說：「孩子們，對不起，爸爸沒有用，當一個窮教師，賺不了多少錢，所以沒辦法買很好的東西給你們吃，爸爸對不起你們。」

他那個小兒女一聽，馬上低頭扒飯，連聲告訴爸爸「好吃！好吃！」所以，有時候我們唱「哥哥爸爸真偉大」，但偉大不一定有用。假如你說，「唉呀，今天為了做個便當，天沒亮就起早啊，辛苦啊……」孩子覺得爸爸媽媽很辛苦。貧窮反而可以出孝子，嬌生慣養常出忤逆。

當然，人生也不一定非要經過艱難、困苦、磨練。在家庭教育、社會教育、學校教育三者之中，最重要的是什麼？我認為是家庭教育。

舉一個例子。我們佛殿有照顧佛殿的香案師父，這天，一個小孩上學經過佛殿，他告訴香案師父，「我撿到一百塊，我來添油香。」師父一聽，「唉唷！小朋友，拾金不昧，真是模範。」就誇獎他。

小朋友很歡喜。

第二天，他又來了，「師父，師父，我又撿到一百塊。」香案師父一聽，你的運氣這麼好啊，怎麼都能撿到一百塊？哎呀，這是福報好緣，曉得來貢獻給佛祖。小朋友很開心。

第三天，他又來了。「我又撿到一百塊。」香案師父就說了，哪裡這麼巧，天天都撿到一百塊，錢從哪裡來的？小朋友從口袋裡掏出一把錢，他說，「家裡很有錢，可是不快樂。」爸爸媽媽早上一起來就吵架，一吵起來就罵他，說他沒有用，這個不好，那個不好。「我在家裡好苦喔！我到你這裡來，你都說我好，我很快樂，我是來聽你講好話給我聽的。」

如果家庭中父母不能做示範，兒女在大人的勾心鬥角之間，就成了問題兒童。

王發行人：大師跟高教授都是好人，所以你們都很快樂。您說的「認識」，好像就是一種「緣分」？

一、結好緣，自然幸福

大　師：

我自己這一生，對於結緣是有心得的。我很感謝父母生給我一個性格，就是貪欲不強烈，喜施捨給人。小時候家裡貧窮，我的外婆是一個佛教徒，常在外面參加拜拜，回來都會帶點糖果給我們，我就送給隔壁的小孩吃。當然，外婆也會稱讚我捨得給人，獲得人家讚美。後來創了佛光山，我要給人歡喜，給人有希望，給人很多的方便。施予就是緣吧！我就結了很多善緣、好緣。

緣，說起來很奇妙，並不局限在我們「有緣來相會」，我們「做好事結好緣分」，這個「緣」字萬用；人生中這個「緣」很重要，關係重大。你說，選一個迷糊的總統不惜「緣」，關係可大了。他一個政策、一句話，可能對我們台灣的經濟就有大影響。

「緣」有它的力量，緣的種子種下去，它也必須有水、空氣、肥料、陽光，也就是「力」，來幫這個「緣」成長。這個社會好人很多，就是好的緣分。像你們辦雜誌，出版書，或是辦學校，都是給社會的好緣。

但是「給」這個緣，有好也有不當。比方說，你拿錢給他去賭，拿錢給他去喝酒，就犯了錯了。對緊急需要用的錢，是要下判斷的；對於用錢的人不信任，也可以一毛不捨。

「放下」才有更多可能

王發行人：

大師給人善緣，我們也聽到很多人對大師的開示非常感謝。例如李開復，他是從美國回到大中華區的傑出科技專業人才；但他生病了，到山上來看大師，大師給他開示。我記得你叫他要「放下」，大師為什麼對他特別講「放下」？

大　師：

李開復先生在大陸發展事業，他很努力工作，很成功。這一類的成功，只要身體不好，在事業上就很困難了。正當他事業輝煌的時候，他得了病，需要醫療，這不是想想就會好的。

那時他心情很落寞，必須要給他一點撫慰與鼓勵。我叫他「放下」，就是不要老掛念著過去的事業與成就，你放不下，也沒有用啊！該來的會來，該去的會去。這個「放下」的意思也不是很消極，它有積極的作用。就像你出去旅行了，皮箱要提起；你回到家裡面了，皮箱要放下來。你說皮箱跟著比較方便，但是到廚房了，幫太太端菜也帶著皮箱，吃飯也要把皮箱放在身邊，這就反而不自在了。

當須提起，人生要提起；當須放下，就要能放下。

放下也不是什麼都沒了，放下來以後，只是休息一下，就可以走更長的路。

放下，心就寬，就不計較。像我，今年九十歲，已經是五十年的糖尿病人。人生，我自己不想活這麼久，就是這麼奇怪老邁的身體，也不死。我在想，我要與病為友，這個病我不討厭它，只要不給我痛，不給我太多的困難，大家相互的共處。我要照顧「病」，比如說不該吃的不吃，應該要怎麼樣做就怎樣，「病」也會對我稍微好一點；與「病」交朋友，盡量放下。

如果總是想我建了多少寺廟，渡了多少人，唉呀！我有病要死了，這死不得，放不下啊！這是有慮，罣礙。能夠放下，心無罣礙，不去計較，反而絕處逢生。放下才有更多的可能。

王發行人：可是大師，年輕人不太容易放得下，他覺得他沒有，怎麼放下？

▌貴人就是自己

大　師：這個放下，不等於放下這件事情。不能放下的也就不是放下，而是該放下的放下。

我喜歡用譬喻來講，比較容易懂。有個青年旅行爬山，走在山崖不小心滑下來。好在下面有一小樹，他一把抓住。往上看，峭壁懸崖，往下看，萬丈深坑，這個青年心涼了。

「唉呀，佛祖呀！來救我。」

「朋友呀，你要我救你，不過你不聽我的話啊！」

「佛祖啊，到了這個時候，怎敢不聽你的話，你叫我怎麼做我都照做，只要你救我。」

佛祖說了，「你把手放下來。」這個青年一聽，放下來還得了，抓得更緊。佛祖要離開了，「我說你不聽話嘛，你不放下我怎麼好救你呢？」

放下就會得到更多。有些年輕人為了愛情，為了對象，要死要活；我總覺得奇怪，天上的星星千萬顆啊，地上的人兒比星多，為什麼痛苦煩惱只為他一個呢？應該要去看看世界。

還有在工作上，假如不適應了，是和這個老闆緣分不夠，不夠可能是你自己條件不周，要先檢討自己。

我們的人生啊，只有自己做自己的貴人，找別人來幫忙，沒用。貴人就是自己。

如何做自己的貴人呢？我有禮貌、勤勞、對事有熱忱，要讓人家接受。人家接受我才有用嘛！現在的年輕人只想我高興怎麼樣，多半沒有想到別人；只想要人家接受，不想為何別人要接受你的條件。只要你做得好，被接受了，你就是自己的貴人了。你不必去找別人，自然有人來找你。現在的年輕人，應該多學一點待人、助人，學會做人，再去發現如何做事的方法，勤勞、肯幹，遇事不要怨天尤人，自能創造出路。

人到無求品自高，不計較、肯奉獻就表示心中趨於穩定，泉源不斷流出來給人。給人不會讓自己沒有，愈給人，自己愈懂愈有。我對此了然於心，但是一般人要知道這些，還需要一些能力。

管理的智慧

高教授：

很多研究管理的學者，也專程請教過你一個問題，就是你到底怎麼樣來管理佛光山這麼多的事業，這麼多的道場，這麼多的美術館，海內、海外，你的管理哲學是什麼？

大　師：高教授，我的最高管理學不瞞你說，所謂管理就是不管理。我不管理。

高教授：你不管理？

大　師：我不管理，我叫代理。我現在有什麼事情，讓他們自由發展，給空間，以及情義、尊重；這個尊重比金錢待遇性命還重要。我對他做到了尊重，看得起他，他就會效命。

這一次佛光山五十週年紀念，要表揚一些人。不是捐獻的人，而是在這個事業上，為我們奉獻、工作、不計較的人。例如，從我開山開始，五十年前就來幫我整地的人。當年我沒有工程師，沒有畫圖的專業人員，他也只是一個二十歲左右的年輕人，初中畢業，跟我的年齡差不多，不過他有班底，有些朋友，一起來做。當時我想做大雄寶殿、大悲殿，我們也沒畫圖。有時就站在路上，我說建個佛殿，多高，多長，他也聽不大懂數字，只能用目測的。

他從二十幾歲做到快四十歲，那時台灣有十大傑出青年表揚，我說這個才值得表揚，他沒有讀過書，苦做實做，做出成績。這些年來，他把父親、兒子都找來做工，粗工活，砌磚、攪水泥、綁鐵筋，我也會參與。因為他在佛光山做得這麼好，甚至有人來挖角。他告訴我，只想在佛光山做，也不是為了錢，為什麼？為歡喜。

這真的是大家對我的好，就像兄弟！是尊重。所以我們合作五十年了，到現在他的兒子都還繼續做。

歡喜可以做一輩子

還有一個例子，一個承包商也不估價不講錢，做完了以後，有時還會讓我減少成本。快過年了，給他一個紅包，獎勵獎勵，他不要。我說：「過年為什麼不要？」他說：「又不是小孩，我不要。」我說：「好吧！拿了這個錢，出去參學，學一點功夫回來，再來為佛光山效勞。」這個人現在也應該九十多歲了，還在替我們做，做大樓、大教室。他就是為了「我要歡喜」；歡喜做，就是他的一生。他為佛光山做事並沒有發大財，到現在只有兩棟小樓房，不過他這一生的歡喜快樂，跟我們一樣。

還有一個老兵退伍下來了，耳朵全聾，他要來幫我做工。聾子能做什麼？他要幫忙煮飯，聽不到沒關係，要我放心。那就試試看吧。加入幾年以後，有一次一千個人要來吃飯，他單單負責煮飯。一會兒，飯就煮好了。而且他煮飯還不問，他就直接下去看，今天有多少人，應該煮多少飯，準確得很。最近我不准他煮，老了，該休息了。

這幾位都是我遇到的好人、好緣分。不掛名，卻都幫我解決問題；這就是我說的：不管而管。

什麼是「人間佛教」？

王發行人： 大師你一心在弘揚、推廣「人間佛教」，我們時常問你，包括高教授在內，什麼是「人間佛教」？

大　師： 人間佛教就是佛教，佛教在人間嘛！佛教和其他宗教有個不同的地方，其他的宗教都拜神，如果全世界七、八十億的人口，就有七、八十億神明。每個人都創造了自己要的神明：要發財，就創造財神爺；要讀好書，就創造文昌帝君；要給全家祈福，就創造土地廟，土地公；大概都是有需要，就有神明，其實那個神明都是自己。

我懂得宗教。神鬼不是宗教。真正的宗教是指自己的心，有人常問釋迦牟尼佛住在哪裡？住在心裡。若是你的心裡面有嫉妒、瞋恨、貪欲，佛祖住在這裡能安穩嗎？他坐不住的。

這個上帝啊，佛祖啊，主要是我們的心。心，只能有虛空。釋迦牟尼佛是人，他對自己的過去悟道了，他認為自己可以與虛空同在。舉一個例子，假如我說現在這個人像觀世音，那個人像釋迦牟尼佛，你們是信徒，拜觀世音，救苦救難啊，拜佛祖，佛祖保佑你。你看一看，不是嘛！觀世音根本不是這個樣子，佛祖也不是這個樣子。因為你們沒有信心，你們沒有信仰。假如我現在弄一張紙，畫一尊觀世音，或像楊惠姍，用琉璃塑形。你們一看，唔，莊嚴、美麗。唉呀！這只是一張紙，只是塊玻璃。但它也不只是紙和玻璃，要看跟我的信念有沒有相應。佛祖都在我們心裡，這個心的變化要與觀音、佛祖配合相應。如果你對孔子尊重，你就相信孔子的「忠孝仁愛信義和平」；你對老子尊重，你就相信老子的「道可道，非常道」。所以，信仰是自己的神明，自己是自己的雕刻師，自己是自己的畫家，自己做自己的神明很重要。

王發行人：未來五十年，你期待你的弟子或者你的信徒做些什麼事情來弘揚人間佛法？

大　師：目前人間佛教愈來愈普遍，為什麼呢？佛教發展千年，曾有過路線錯誤，什麼路線錯誤？佛教不往都市發展，卻到山林裡面去，失去了都市的人口支持。山林裡面會有多少人？所以佛教徒有一段時間在全中國就減少了。

中國人重視家庭倫理，父慈子孝，可是佛教重視寺廟、出家、修行，它和家庭分開了。我覺得應該要護持人家的家庭，佛教應該重視群眾，無論男女老少，帶給他們福利。慈容法師是育幼院的院長，她做了多年的院長，把這些小孩慢慢帶大，長大後成家立業，我們這小小的育幼院，也成就了這麼多的兒童。我不找人去參觀，深怕參觀的人七嘴八舌的，「唉唷！這麼可愛的小孩，怎麼沒有爸爸，沒有媽媽？」會傷了兒童心理。他們是佛光山的小孩，佛光山等於他們的媽媽，我要他們有自己的尊嚴，所以大慈育幼院的小孩，每年過年都有花車遊行，就是他們辦的。

「老吾老以及人之老，幼吾幼以及人之幼」，我總把別人看得比自己重要。有一次我講《金剛經》，講「無我相、無人相、無眾生相」。我不知道母親在後面聽我講，講完之後，當晚我向她請安。她跟我說，「你不會講經啊，你也不懂佛法啊。」她字都不認識，怎麼會批評我不會講經？我聽完這話心想，我怎麼不會講經？「你講說無我相，無人相。無我，可以啊，你自己不重要嘛；無人，你目中無人。怎麼行呢？」

我一聽，佛法實在太奧妙了。當然佛教中的「無我相、無人相、無眾生相」有另外一層意義。但是普遍的、人要的佛法，你不必把調子唱得太高。你們要出版書，要市場調查，契合讀者的需要。我想我和你們的工作其實也差不多，所以我也是你們的「粉絲」。

五十年佛光山的挑戰

王發行人：大師，佛光山開山五十年，你碰到最困難的事情是什麼？

大　師：談到困難的事情，我在《聯合報》發表〈生於憂患，長於困難，喜悅一生〉概括談過，我出生在動盪戰亂、軍閥割據、土匪橫行的時代，十歲時遇上抗日戰爭而出家，出家的苦難，真是不可言說。

八年抗戰勝利了，又有了內戰，我是剛滿二十歲的年輕人。共產黨說我是國民黨特務，國民黨說我是匪諜。我在南京坐過牢，險些送去槍斃，好在我命不該絕，最後都是刀下留人。不過我奇妙的一生，在出家十年以後，受佛教的影響，體悟到世事總是十年河西、十年河東，已不知道什麼是重要的了。好多次站在死亡那邊，我都不計較。

到了台灣，也遇上政治事件。為了上電視弘法，千辛萬苦啊！講起來當時的心情就像是熱鍋上的螞蟻，因為付了電視台的錢，節目也做好了，報紙也上了。蔣夫人看了報紙說電視要播佛教節目，打一通電話，不准！不論是華視、中視、台視都不行。但我認為信用很要緊，為什麼天主教、基督教這麼多的節目，佛教不行？我找郝柏村先生幫忙，沒有辦法。找蔣緯國也沒辦法。他們不敢得罪蔣夫人。那時候的三台老總也不敢，過程很辛苦。後來在妥協下，電視台總經理說，和尚不能上電視，我反問電視劇裡面不是有很多和尚嗎？他說假和尚可以，真和尚不可以。我想，這大概就是我們社會顛倒，疑真不疑假。

還有，我創立佛光山，十年不讓我登記，我要辦學校，沒有登記就沒辦法做事。如果十年登記不到，可能面臨倒閉。但為什麼沒辦法登記？是因為我破土典禮，請縣長來，他不來。不來也不要緊，後來佛學院要招生，舉辦一個典禮邀請他來，他又不來。大悲殿完成了，我請到內政部長徐慶鐘來，縣長看部長地位高，不敢不來。但一直等到早上九點多鐘才到，當時部長在房間休息，我讓縣長等一等，我去請部長出來見面。我告訴部長，縣長、警察局長過來看你。他說：「這什麼時間啦！回去，叫他明年再來。」我當然要照說嘛。就告訴縣長：「對不起，明年再來。」他以為是我在搞鬼，所以就報復我，不給我登記。

後來，他說登記要兩部消防車，養一百個消防員。我看總統府也沒有這樣啊，我這個小廟要怎麼養啊！不久就有人說我們佛光山很危險，不准我們進出。但我也不說什麼，正好在山上休養幾天啊，歡喜啊！這就是說凡事耐心以對，不用掛念不必擔心。所以，我雖生於憂患、長於困難，但只要有樂觀的人生態度，什麼困難也會改變的。這也就是我一生都推廣人間佛教的原因。

佛光山在大陸的發展

王發行人：您把人間佛教推廣到中國大陸去的時候，是否也碰到很多困難，您如何克服？

大　師：在大陸遇到的困難相對很少。他們地方政府很幫忙，道場沒停車場，他們就給我停車場；沒有聯外道路，他們就幫我開路；需要樹，馬上就運來。兩岸狀況怎麼說呢，我是愛台灣的，但我也是中國人，我愛好和平，對立是兩敗俱傷。現在不需要計較、對立，我有我的空間，他有他的路線。現在大陸也開放，台灣也自由民主，是互相尊重，人也經常來來往往。這個往來如有猶疑、對立和仇恨就不好了

佛光山的下一個五十年

王發行人：未來的五十年，佛光山會怎麼樣去發展？

大　師：未來的佛光山，也有徒眾們的會議。以前主要是師父為主，但五十年過去了，他們也年老了，未來還有五十年，甚至還有更多的五十年。佛光山的下一個五十年，首要是從事教育，培養高等人才。再

來就是必須要瘦身，不要這麼大，不要這麼多，精緻一點。

我們要從文化、體育、音樂、藝術與民眾生活有關係的做連結，人間佛教就是在人間。人民的信仰生活要更便利，尤其像出家的青年僧侶對父母一定要孝養。如果父母不可以進到寺廟裡面來，就在旁邊蓋住所，讓父母可以隨時來看出家的兒女，對父母不能說出家無家的話。因為是人間佛教，對於信徒，不是要他來給我們，相反地，我們要給他。他到寺廟裡面來添油香，我們也應該為他添油香。怎麼對他們添油香？因為認識他，顧慮他，想讓他過快樂、發財，美滿的人生，要有方法、智慧給他，所以有佛法就有辦法！這就是給他添油香，讓他歡喜，讓他自在，這就是人間佛教啊。

人間佛教的未來，以出世的發心做入世的事情，不要太小氣。要把佛法講得積極，不要太悲觀，佛教是很樂觀的。譬如說「放下」，放下不是「放棄」、「不要了」，放下是休息一下更有力量，像是睡眠，睡眠之後會更有力氣。休息是為了走更長的路。

人生的苦是增上緣，苦對我們很有利，苦是策勵我們，苦是給我們增上，給我們營養。沒有十載寒窗，怎麼能金榜題名呢？不能經過寒冬，怎麼開花？苦是「吃得苦中苦，方為人上人」。所以不要把這個吃苦、苦海、苦難，弄得好像沒辦法。積極、喜悅的人生，苦了以後就有快樂。就像空與不空的關係，茶杯空了就能倒進茶水，口袋空了就能放進錢。虛空那麼大，我們的心也如虛空。無常，不要怕，無常是不會定型，是可以改變的。人是自己的主人，我可以改變自己，改變一些環境，改變人物的關係，窮則變，變則通。改變久了，有進步就會成功。

人間佛教講佛法，對人間的這種清新的道理，正是社會與國家的需要。人間佛教不參與政治，但是關心社會。這是有必要的。能讓佛法對社會、家庭、個人提供幫助，發揮功用，帶來人間的真、善、美、好。

人間紅利見證者

高教授：

今後人間佛教或是佛光山的五十年發展非常關鍵，你剛才那段話我覺得很精彩。我補充兩點。

首先，我念經濟，常常用「紅利」兩個字來代表產生的「好處」，你剛才講人間佛教，在下半世紀可以帶給許多人很多「好處」和「利益」，這就是我講的「人間紅利」。

其次，很多弟子給你建議，說人間佛教要走向教育、文化、美術等領域。這也是我常提倡「文明」這兩個字的理由。我們台灣的文明程度還不夠，人間佛教要提倡更高層次的文明社會，這就是二〇一二年我們一起創辦「星雲人文世界論壇」的初衷，就是要強調文明社會。除了宗教之外，跟老百姓有關係的還有美術、藝術、音樂、文學、歷史、文化、教育等層次，這些也都很重要。

我擁有世界，也擁有虛空

大　師：

高教授所講的「人間紅利」，現在我是一個見證者。

我到台灣來連鞋子都沒有，親戚朋友沒有，什麼也沒有。現在我不只擁有台灣，也擁有世界，擁有虛空，感到這一切都是我的。

紅利多半談的是商業行為，但也有例外，就是感動與人情，用這個累積財富。我們談財富，有現世的，有過去世的；有有形的，也有無形的。很多人對無形的財富，沒有發現。比如像智慧，這就是你的財富。做人正派，正派就是你的名聲，這也是財富。我想高教授你現在也到了退休年齡，可是到處有人請你，邀約不斷，這就是你的財富。還有人要你做這個做那個，看起來是跟你要，因為你有啊！你財富很多。所以講財富，有個人的財富、大家的財富，有私有的財富、公有的財富。

我們把財富放大開來，不一定汲汲營營計較於蠅頭小利；放眼未來，傾注國家的利益，都放在心中。為大眾，為國家，為社會，財富不是自己的，錢財無價共有。只有貪官汙吏、不肖子弟，會把財富消滅，因為不是正常得來的財富。正常的財富有一個合法的經濟程序，合法的因果關係，合法的道德標準，就是「將本求利，童叟無欺」。經濟觀念發展到現在鋪天蓋地，生活中很多離開不了經濟沒錯。但中國有句老話：「你有多少本心，才有多少利潤，你沒有本心，就找不到利潤。」什麼叫做本心，就是能量、智慧、反省、緣分、勤勞……這些條件都具備，紅利就多了。

比如像我，有一個「以無為有，不要而有，以空為樂」的本心。高教授，你不必掛念佛陀紀念館不收門票，什麼人來一律不收錢。我沒有出去化緣過，個人要給的，我都不要。自己捨得，也沒有擁有過一塊錢。錢都是社會的、大眾的，只是還來還去而已。我的財富都在虛空之中，要用就會來，我不要它也會來。只要一個正當的理念，錢會像正當的理念自己跑來，妙不可言。我想這就是紅利吧。

全球紛爭下的佛教發展

王發行人：這個世界很亂，伊斯蘭激進組織製造了很多暴亂跟紛爭。你會不會擔心將來佛教在全世界的發展會受到影響？

大　師：十幾年前《洛杉磯時報》訪問我，當時是為了九一一雙子星恐怖攻擊事件。記者來問我，對於暴徒要怎麼處理。我認為「以暴制暴」不是上策，對於暴徒，要用慈悲。

中國儒家故事講修養，弟弟要出門，哥哥說：「你要有修養，不要和人起衝突。」弟弟說：「哥哥你放心，人家對我不好，唾沫吐到我臉上，我就擦掉，也不跟他計較，怎麼會沒有修養。」哥哥一聽就說：「人家吐你，就是不高興，你把他擦了，他更不高興啊！」弟弟說：「那要怎麼樣？」哥哥說：「唾面自乾吧！」就是要練到「唾面自乾」這種程度，才比較接近佛教的慈悲。

面對這個禍啊！可能要更多的犧牲。像悉達多太子，國家都給人了；像長生童子，他降服了替父報仇的瞋恨心，最後敵人給他感動了。所以面對現在的這個暴徒，國家要用感動的方法來治暴，要用紙筆的方法來對暴力。

倫敦選出了新的伊斯蘭教徒市長，我覺得英國很可愛。有一次，巴西的警察總監來佛光山皈依佛教，我說：「巴西有多少人啊？」他說：「巴西沒有人啊！」我說：「巴西不是聽說有一億多人嗎？怎麼會沒有人？」他說：「喔，那都是外面來的人，到了巴西才叫巴西人。」我們應該住在哪就叫哪裡人？住在地球就叫地球人嘛！我認為不必分。心中覺得住在地球就是地球人，住在世界就是世界人。我也不管哪一個黨派，黨派是一時的。中國人從五千年前堯、舜、禹、湯，說我們是炎黃子孫，從歷史的中國、文化的中國，血緣民族的中國，這不能改變。所以我只希望，今後我們台灣，什麼都能改變，爭取自由民主平等，但對做為中國人，這是不能改變的。你想做什麼人？當美國人嗎？要移民到美國去！日本人嗎？要移民到日本去！你沒有移民，就是中國人嘛。我覺得把中國人做好，也同時就是世界人，就是地球人。

慈悲就是理念

王發行人：所以您對佛教很有信心？

大　師：佛教在宗教裡面，不講暴力，也不搞政治，不和政治為敵，只是想對社會關懷，救苦救難。我想未來的發展，在宗教方面，佛教必定能被未來的社會所接受。因為佛教講慈悲，不霸道；佛教講積極，不消極；佛教講開闊，不自私；佛教講自救救人，自度度他，自利利人，不獨善其身；佛教人我一如，和平共生。這大概就是人間佛教的理念吧。

慈悲心、包容心、中國心

高教授：

作為一個宗教的觀察者，又是大師的仰慕者，也是大師的朋友，讓我做個簡單的歸納。我們學經濟，常常用經濟學的一些道理來分析社會現象，所以我們有都市經濟學、勞動經濟學、教育經濟學等等。但是，沒有宗教經濟學。假定有這門學問的話，我相信我們要問一個問題，就是為什麼人間佛教在星雲大師的推動下，在過去五十年變成這樣一個有影響力的，愈來愈重要的一個事業？比如說，興建五個大學，有三百多座道場，近百所美術館，自己得了這麼多的榮譽博士等等，這是一個空前的、具體的成就。

我的答案大概就是，第一：人間佛教在大師的領導之下，比企業家更懂得人心，懂人心比懂管理更有效。第二：大師比政治人物更能夠贏得人心，贏得人心比贏得選舉更重要。第三：人間佛教，居然可以比政府更能夠幫助人，政府有時侯能救貧，可是人間佛教在救心。第四：社會上有很多有錢的人，那些富豪是有錢，可是大師有心。大師的財富是無形的財富，像慈悲，像捨得，比有形的財富來得更有價值及持久。第五：大師給人家無形的財富，比有些人給有形的財富，來得更珍貴。無形的財富，像慈悲，是用不完的；有形的財富，大師五十年來寫的文章，超過兩千多萬字，比作家更有文字的影響力，大師的一筆字書法，以心來寫，也比書法家寫得更生動。

最後的結論是：大師有一顆慈悲心、包容心跟中國心。因為有這樣的心，創造了五十年的輝煌，也引領弟子們走向以後的五十年。

大　師：

創造世界與人類社會的未來，尤其我們佛教的人，一起呵護中華傳統文化——忠孝仁愛信義和平，禮義廉恥。包括墨子的兼愛、道家的無為、佛教的慈悲，大家共同為普世的人類創造幸福。近年成立中華宗教傳統協會，對所有的神明，我們和而不流，可以處在一起，大家和平、尊重。我和很多的神父都是好朋友。

馬來西亞幾任的首相，我都和他們有點交情。有一次請我在大吉隆坡八萬人的現場講經傳教，資助我來回旅費與在當地的生活費。宗教協會裡彼此都這樣的友愛，你為我，我為你。佛法裡面也是講你中有我，我中有你；人類本來就是同濟共生、共存共榮。

世界和平好像只是一個理想，實際上能和平嗎？這個世界能真正好嗎？我常說，世界是一半一半，善的一半，惡的一半；男人一半，女人一半。我總想用我們這個好的一半，來影響另外的一半，讓大家都更好。不求竟全功，多少盡一點心而已。

▍「君子之道」與「星雲之道」

高教授：

大家當然都知道大師是一位空前的了不起的宗教家，我常常看到你的言教與身教，實在也是個君子。余秋雨先生有一本書《君子之道》，他綜合了中國文化、儒家思想等等，歸納出一個君子要有八個條件，裡面有一個是我很嚮往的，也是您剛才提出來的——「君子有成人之美」。什麼叫成人之美？不嫉妒、不挑剔人家、不比較、不看不起人家、不同行相輕……你完全符合這些要件。我要把「君子之道」，換成另外四個字：「星雲之道」，大師一生走過的道路，一生提倡的道理，兼具佛性與人性；我也要把「紅利」二字用在人間佛教帶來的貢獻，叫「人間紅利」。

導引一

星雲之道：分享大師的一生貢獻

「星雲之道」，是指大師拓展人間佛教的道路；是指推廣人間佛教的道理。

它的道路無限寬廣，是人人可以學習的、穿越的；它的道理無所不容，是人人可以親近的、實踐的。

（一）無限寬廣的道理與道路

二十七年前的春天，《遠見》雜誌邀請剛從大陸第一次訪問歸來的大師，在台北做一場公開演講。千餘人的演講廳出現擠不進去的幾百位聽眾。這是前所未見的場面，第一次感受到大師的群眾魅力。

那次的相識，自此帶來近三十年深厚的友誼，使我深刻地感受到了大師的言教與身教，那是我一生的幸運。他出口成章、下筆如飛、記性特好、故事萬千、事事捨得、時時慈悲、知己滿天下。創設的道場已逾三百，著述的書已過三百種，所得的榮譽博士及教授已過三十。以每天投入的工作時間，大師已活過三百歲。

我不是佛教徒，唯一的男孩在美國出生成長，是在美國與加拿大傳教的一個基督教牧師。

半世紀以來，在海內外我從未遇到一位像大師那麼地熱心、正直；那麼地捨得、慈悲；那麼地不計較、肯付出；但又那麼堅強地擁有生命力、執行力、說服力；在推動人間佛教的道路上，既能曲直向前，更能勇往直前。

在歷史的長河中，幾個世代都不容易出現這樣一位偉大人物。他竟然是來自揚子江邊的一個貧困家庭，沒有念完小學，十二歲出家，一九四九年到台灣時二十三歲；不諳台語，身無分文。

放在宗教的世界地圖上，大師是世界級宗教家；放在華人佛教徒的天秤上，他又是和尚中的大和尚；放在中華文化中，他是君子中的君子。

與大師交往，心中就一直把大師視為「君子」的最高座標；向他學習，向他請益。每一次的接觸——不論是見面、電話，或透過報紙、書籍、電視——總產生自己要不斷提昇的內在動力：行為上更捨得、理念上更開放、文化歷史上更尋根。

二十餘年來的相識中，曾寫了三十多篇與大師相關的講稿、文章、序文、書評。在大師九十華誕前夕，自己整理成書，表達對大師的敬意。

取書名為《星雲之道》，意在表達大師一生對人間佛教提倡的思路、海內外拓展的艱辛歷程、與時俱進的推動方法、以及在全球產生的深遠影響。

我儘量用簡明的列舉方式，歸納出幾個重要面向，讓各位讀者可以概括地了解大師一生的貢獻。

（二）跨越與超越

大師對於傳統佛教的陋習勇於改革，使佛教能夠擺脫守舊、落伍，進而「與時俱進」、與眾不同、貼近生活、見人所未見、做人所不能做、不敢做。這正就是二十年前廣受推崇的《藍海策略》英文版一書中創導的「價值創新」。是這些做法提升了人間佛教的競爭力與差異性，這也就是台灣社會價值沉淪與迷惑之中，人間佛教受到肯定的主要原因。

這些想法與做法的源頭來自星雲大師。我不斷思考：是這位宗教領袖的哪些才能，使他成為推動「人間佛教」的關鍵推手？我的觀察是大師擁有四項才能：

- 敏銳的洞察力。
- 強烈的說服力。
- 堅毅的執行力。
- 巨大的擴散力。

這四項領導才能與多年前我對大師的了解，可以前後呼應。當時我描述大師是：

- 一位果斷的、身體力行的宗教改革家。
- 一位慈悲的、普及佛理的創意大師。
- 一位博愛的、提倡知識的教育家。

（三）推動人間佛教的「心法」

大師以其一身言行，做到了「捨才有得」、「我不會命令，只會慈悲」、以「出世的精神做入世的事業」、「給人利用，才有價值」。大師常說的十句片語，正表達了「星雲之心」的十個「心法」：

- 你中有我，我中有你。（命運共同體）
- 以無為有，不據為己有。（無欲則剛）
- 大眾第一，自己第二；信徒第一，自己第二。（老二哲學）
- 你對我錯、你大我小、你有我無、你樂我苦。（包容、謙卑）
- 做難做之事，處難處之人。（接受挑戰）

- 有情有義，皆大歡喜。（追求雙贏）
- 我不懂管理，只懂人心。（以心帶人）
- 跟別人結緣，只有真誠的心。（以心交友）
- 不看我的字，看我的心。（以心寫字）
- 我有一點慈悲心及一顆中國心。（以心為本）

（四）星雲大師的特質

- 比企業家與政治人物更能贏得人心。
- 富豪有錢，大師有心。
- 大師一生在累積及散發無形財富。
- 「無形」（如慈悲）財富比「有形」（如金銀）財富更重要。
- 給別人無形財富比給有形財富更持久。
- 無形財富（如慈悲）用不完，有形財富（如金錢）用完就消失。
- 全年無休，終身義工。

• 走的是一條智慧的路、奉獻的路、人間佛教的路。

（五）人間佛教的普及價值

• 既受信眾歡迎，又受各界尊敬。
• 既貼近人生，又深化信仰。
• 既可親近，又可實行。
• 既有一時之效（像特效藥），更有持久擴散效果（像補藥）。
• 既是言教，又是身教。
• 既是文教，又是佛教。
• 既增進台灣自信，又促進大陸誠信。
• 既深入華人社會，又遍及西方世界。

這就是大師所產生的難以置信的綜效，人人可以在人間佛教的藍圖中學習、成長、應用。這八項普及價值可以簡稱為「星雲價值」。

（六）大師是「九合一」的智者

【第一面向】

「佛教」走向「人間」

1. **A Dreamer** 夢想家（想到別人「不敢做的」）
2. **A Thinker** 思想家（想到別人「沒有想到的」）
3. **A Planner** 策畫家（有佛法，就有辦法）

【第二面向】

有佛法就有辦法

4. **A Doer** 實踐家（說到就要做到）
5. **A Speaker** 演說家（以語言分享人間佛教）
6. **A Writer** 大作家（以文字分享慈悲與智慧）

【第三面向】
全方位的實踐與示範

7. **A Giver** 付出者（捨才能得）
8. **A Connector** 連結者（信徒與友人滿天下）
9. **A Traveler** 地球人（天涯若比鄰）

（七）結語

大師的智慧高，但不是高不可攀；大師的道理深，但不是深不可測；大師的囑咐多，但不是多得無所適從。

大師的成就，不是來於機運；他的志業，不限於宗教；他的影響，更不限於台灣。大師的貢獻早已跨越宗教，超越台灣，飛越時空。

大師的核心力量就是慈悲和智慧。因此大師所到之處，就激起了浪花，掀起了風潮，引發了熱情，創造了人間佛教改善人心的無限價值。

他是屬於海內外全體華人的，他也是屬於全人類的。

一九四九年一位二十三歲法名「悟徹」的揚州人，來到台灣，但腦無雜念，心無二用，花了超越半世紀的心力，開拓了無遠弗屆的人間佛教。

「千山我獨行，身影遍四海！」那是大師的一個縮影。

「來世我還要做和尚，我和尚做得不夠好。」那是大師永生永世獻身人間佛教的承諾。

第一部
人間佛教的實踐

大師的弘法歷程起自棲霞山寺受戒，
在宜蘭窮困中起走，從高雄佛光山立足，
帶領徒眾出發，以無比的信心與智慧，一步一腳印，
把人間佛教傳播到世界各地。

其中最關鍵的一個原因，
即是這位揚州和尚擁有與生俱來的「人間」性格。
這個無限遼闊又融入眾生的「人間」性格，
充滿了說服力、執行力。
再延伸出、放射出、推展出無人可以同時兼有的大眾性格、
文化性格、教育性格、國際性格、慈善性格、包容性格。

集改革、創意、教育於一身的星雲大師

到現在，我還沒有宗教信仰。但是，對懷有宗教信仰的人，我一直很羨慕。深盼自己有一天能水到渠成的變成一位信徒。

近年來，自己十分幸運有機會得以親近星雲大師。每次會面，從不敢向他請教佛理，但環繞的話題：如社會風氣、生活倫理、教育制度、媒體影響、兩岸關係等等都是他所提倡的「人間佛教」、「生活佛教」的範疇。一問一答之間，獲益匪淺。每次辭別，總是覺得，如果他是一位大學教授，學生一定能從他說理周延到旁徵博引之中，獲得舉一反三的啟示。

這些年來，對星雲大師是仰慕多於了解。對他的了解主要來自每期為《遠見》寫的專欄，與《普門》雜誌刊登的《星雲日記》。他所提倡的理念，可以立刻引起共鳴，令人油然而起崇敬之心。

細讀各種有關大師的描述，可以歸納出他在三方面的特質：

• 一位果斷的、身體力行的宗教改革家。
• 一位慈悲的、普及佛理的創意大師。
• 一位博愛的、宗教生活化的教育家。

改革來自他的決心，創意來自他的用心，教育來自他的愛心。廣義的說，集決心、用心、愛心於一身的星雲，既是一位人人可以受益的佛教大師，又是一位影響深遠的社會教育家。

我深信：「觀念可以改變歷史的軌跡」；現在，更深信：「宗教信仰可以改變人生」。大師一生所提倡的「人間佛教」、「生活佛教」，不僅已經改變了無數海內外中國人的人生，也一定會改變中國歷史的腳印。

隨著國際佛光會的散布全球，星雲大師還有更長的路要走，更多的佛理要講。

一位有心的揚州和尚，穿越了台灣四十年的時光隧道，開創了一個無限的佛光世界。

這真是一個人間的台灣奇蹟。

一九九四．十二

二〇一六．五．二十七 修訂

人間佛教興起

一位十二歲的揚州和尚，二十三歲從大陸到台灣，沒有親人，不諳台語，孤苦無援；還被誣陷為匪諜入獄二十三天；但腦無雜念，心無二用，投下了六十年的心血，開創了一個無限的人間佛教世界。

這位法名「悟徹」的出家人，就是現在大家尊稱的星雲大師。

在台灣，在大陸，在其他華僑地區，以及世界各地（從日內瓦、東京、到雪梨），人間佛教、佛光山、星雲大師已變成了「台灣之光」。

他的一生：改革了佛教，改善了人心，改變了世界。

這是「台灣奇蹟」的一部分，這是台灣「寧靜革命」的一部分，這是在慶祝開國百年中一位特別值得尊敬的人物。

（一）「奇蹟」起因於一念

六十年來的台灣社會，已經從貧窮變成小康，從閉塞變成開放，從威權變成多元，人才與言論早已是百花齊放、百家爭鳴。在宗教界，能結合佛教思想與人生幸福，再加以多方面實踐與全球性推廣的領袖，當推佛光山星雲大師。

對大多數人來說，他們並不清楚佛光山的信徒到底有幾百萬？每年在世界各地佛法的宣揚有幾百場？遍布世界各地的道場有多少個？組織的讀書會有幾千個？出版的佛學專著有幾百種？但很多人都能體會到佛光山無遠弗屆的影響力。

我的觀察是，這些在海內外的成就以及對台灣社會的貢獻，起因於一個念頭：推動人間佛教。年輕的星雲，從宜蘭做起。他所嚮往的就是：「佛說的、人要的、淨化的、善美的；凡是有助於幸福人生增進的教法，都是人間佛教。」一不懂精深佛理的人，也都能懂這樣平易近人的解釋。

人間佛教的提倡，是透過各種直接與間接方式，宗教與非宗教活動走進人群、走進社會、走進生活以及走向國際時，追隨的人（信徒以及非信徒）都被這些信念與行為所感動：給人信心、給人歡喜、給人方便、給人希望。他又深知人生離不開金錢、愛情、名位、權力，因此又不斷提倡「要過合理的經濟生活、正義的政治生活、服務的社會生活、藝術的道德生活、尊重的倫理生活、淨化的感情生活」。

他自己則從不間斷著述立論、興學育才、講經說法、推廣實踐，六十年如一日。他的辛苦沒有白費；他的成就難以細述。

（二）開創「佛光事業」

自己讀經濟，用我們的言語來探討：星雲大師是用什麼「經營策略」，以及什麼「商業模式」，創造了遍及海內外的「佛光事業」？

相識二十餘年來，一直在思索他的領導模式與管理哲學。他如何能「無中生有」、「一有即無」？他或許會說：「我不懂管理，只懂人心」；「我不會命令，只會慈悲」；「我以出世的精神做入世的事業」；「我相信：捨才有得」；「我相信：有佛法就有辦法」。

二〇〇五年出版的《藍海策略》與《星雲模式的人間佛教》，終於提供了關鍵性的解答。「藍海」不是政治符號，是一種機會無限的隱喻。《藍海策略》一書的兩位西方學者指出：企業（或任何組織）不可能永遠保持卓越，要打破這個宿命就是要脫離「血腥競爭的紅色海洋」，去追求一個完全嶄新的想像空間與發展方向。它不再堅守一個固定的市場，更不能對舊產業緊抱不放；而是勇敢地另建舞台，另尋市場，另找活水，就會在新發現的藍海中揚帆前進。當我們看到任何一個組織（從政黨到企業）不另找活水時，就會一個一個地在一池死水中衰退，終至消失。

這樣的用心、做法、效果，不僅符合藍海策略，更超越了藍海策略。因此滿義法師所寫的《星雲模式的人間佛教》，即是人間藍海的中文版、宗教版；更正確地說，星雲大師是人間藍海的領航者，比之英文著作已經先啟航了半個世紀。

我們要分辨的是：企業所追求的藍海是企業利潤、個人財富與產業版圖；人間佛教所追求的藍海是現世淨土、人間美滿、慈悲寬容。

（三）「星雲模式」的提出

我們還應當進一步引用滿義法師對「星雲模式」的詮釋。

在知識經濟時代的企業運作中，模式（model）的對錯，決定公司盈虧。我們常聽到高科技企業界的主持人興奮地說：「本公司已經找到可以盈利的新商業模式（new business model）。」或者聽到另一種藉口：「公司之所以虧本，就是選錯了商業模式。」因此，「模式」就是指決定運作成敗的一套方法、一個過程、一種組織、一種判斷。

作者滿義法師非常用心地根據大師這麼多年來的言行及著述，探討了人間佛教特有的做法與推展的特色。作者把這些做法與特色歸納為四個項目，然後旁徵博引的陳述「星雲模式」在於：

一、說法的語言不同。
二、弘化的方式不同。
三、為教的願心不同。
四、證悟的目標不同。

在每一個大項目下，又以清晰的文字與實例來闡釋。在引證「說法的語言不同」時，作者指出星雲大師：

- 詮釋佛法的語言很人性化，沒有教條、沒有形而上的談玄說妙，也不標榜神通靈異。
- 說法善於舉喻說譬，他常利用故事、公案，藉以詮釋深奧的道理，令人心開意解，繼而對佛教生起信心。
- 說法理路清晰，前後有連貫性，簡潔扼要，不會離題漫談，也沒贅語。
- 說法機智幽默，常常信手拈來，一句話就能回答一個難解的問題。
- 言行一致、言而有信，且一生信守承諾，所開示的佛法都是自己躬親實踐過，所以說來令人信服。
- 講話圓融，客觀中肯，而且面面俱到，總能令舉座皆大歡喜。
- 為人慈悲厚道，從小就學習「口邊留德」，從不輕易批評、責怪別人，說話總是給人留有餘地；他體諒、溫厚的性格，總是令人如沐春風，凡是與之接觸過的人，無不歡喜親近，並且被他的誠意感動。

在「弘化的方式不同」之下，作者又指出：

- 提出「用新事業增廣淨財」的理念，將信仰與事業結合，使信仰佛教的人口逐漸「年輕化」、「知識化」，大大改變過去一般人對佛教的觀感。

- 首開興辦活動之風氣，透過「多元」活動的舉辦，不但帶動朝野各種社團活動的蓬勃發展，尤其藉助活動，發揮「寓傳教於活動」的弘法功能，讓佛教走向社會，帶動社會善良風氣，甚至走向國際，如最近提倡的佛光女籃球國際比賽。
- 對於傳統佛教的陋習勇於改革，能夠擺脫守舊而不斷創新、發展。

這裡引述的「不同」即是「特色」。「星雲模式」的人間佛教，就擁有這三十二項「特色」，突出於海內外的信眾及民眾的心目中。

從我們研究經濟及管理的觀點來看，「星雲模式」之所以在國內及國際市場有高度競爭力，不僅在於「差異化」（有三十二項不同），也在於其能滿足顧客（此處是指信眾）的需求；更重要的是這位領導人擁有四項才能：過人的說服力、堅強的執行力、群眾的擴散力、旺盛的生命力。

他回顧自己當年的承諾：「我是出家人，我要把和尚做好。」即使以最嚴的標準責己，也應當給自己一個「很滿意」的分數。

（四）「軟實力」無處不在

提倡「軟實力」（Soft Power）的哈佛學者奈伊教授（Joseph Nye）於二〇一〇年十二月訪問過台灣。近幾年來我不斷在鼓吹「軟實力」的理念。印證人間佛教的興起，正證明了「軟實力」的實力。

「軟實力」是指一種吸引力，能使別人（別國）願意來稱讚、學習、仿效。一個社會擁有的文明、開放、平等、法治、宗教、藝術等等都是軟實力的例子。

「人間佛教」的吸引力呈顯在文字上與活動上：它可以是一種靜態的或動態的、個人的或團體的、國內的或國際的，它也可以是「同中存異」或「異中求同」。所有這些吸引力又可歸納為一種：

- 奉獻的行為。
- 行善的服務。
- 慈愛的感染。

佛光山的體系則是源頭，它是一個：

・具有效率的組織。
・擁有推動的機制。
・積極助人的團體。

最後，在信眾及民眾之間，凝聚成一股「向上的力量」，產生了「參與的嚮往」。

文史學者余秋雨先生第一次見到大師，就有這樣的印象：「大師形象大、格局大、氣魄大、心胸大、理想大。」愈與他有機會親近的人，愈會有這種「大」的體會。

我們不能把他的成就，歸於機運；不能把他的「事業」，只認為是宗教；更不能把他的影響，局限於台灣。星雲大師的貢獻實在已經跨越宗教，超越台灣，飛越時空。

面對外界對他的各種讚譽，他總是淡淡地說：「我只是一個平凡的出家人，我來世還要做和尚，因為我做得不夠好。」

這真是台灣「經濟奇蹟」之外的另一個「星雲奇蹟」。

二〇一〇・十二・三十
二〇一六・五・二十七 修訂

人間佛教的繼往開來

——讀《星雲學說與實踐》

（一）「星雲學說」聞世

二〇一五年春天，星雲大師弘法逾六十年。滿義法師繼二〇〇五年發表《星雲模式的人間佛教》一書之後，盡十年之力，又完成《星雲學說與實踐》這本更重要的著作。「星雲學說」的提出，將會是佛教發展史上一本承先啟後的著作。在「學說」與「實踐」的相互輝映中，它樹立了人間佛教對人類貢獻的里程碑。

半世紀以來，大師對人間佛教的理論不斷地在探索、構建、驗證；也持續地在應用、推廣、革新。大師在序言中謙稱：「人間佛教不是他或太虛大師等創立，探本究源應是釋迦牟尼佛的學說。」

「學說」是發現的理論架構，具有統合性、開創性、趨勢性、驗證性的特質。「星雲學說」就是針對人間佛教的緣起、發展及實踐所提出的立論。

這本大家等待已久的著作，正是大師半世紀來苦思與實驗人間佛教的心路歷程。它歸納了大師一生對佛學理論的思辯與創見，以及實踐上的相互擴散。透過滿義法師的佛學素養，嚴謹的求證注釋與清晰的思路與文字，讀者很容易親近這本著作。

細讀這本新著，讀者終於能了解為什麼星雲大師會被海內外人士共同認為是經濟發展中，另一個「台灣奇蹟」；社會變動中，另一次「寧靜革命」；更是二十一世紀「中國崛起」外，華人世界另一種「和平崛起」。

（二）「星雲學說」的四項論述

使我驚喜的是，當我閱讀《星雲學說與實踐》時，從「緒論」開始，就充滿了可讀性與吸引力。雖然自己對博大精深的佛學所知太少，但大體上還能有所領悟。書中不斷引證佛學理論，又不斷注入人間佛教的實踐例證，使讀者領悟：是這樣的知行合一，才使得半世紀以來，大師能夠在海內外引領時代思潮，走向擴增人生的幸福與安樂。「星雲學說」是建構在「四項論述」之上：

（1）「佛性平等」：學說的立論根本。

（2）「緣起中道」：學說的真理闡揚。

（3）「自覺行佛」：學說的修行落實。

（4）「轉識成智」：學說的目標圓成。

大師認為：「佛性平等」是佛法的核心，當初佛陀成道時，曾發出「大地眾生皆有如來智慧德相」的宣言，宣示眾生都有佛性，都應該享有「平等」的生存權利，都應該被平等對待。

佛性人人本具，佛性是不生不滅的永恆存在；相對的，世間一切都是因緣所生法，隨著緣生緣滅而示現「苦空無常」，因此我們在面對現實的人間生活時，要有「緣起中道」的智慧；能夠了悟「緣起性空」的諸法實相，從而建立「空有一如」、「真俗不二」的中道思想觀，並且落實在日常生活中，透過「自覺行佛」的實踐，最後才能「轉識成智」，才能圓滿生命。

書中的附圖對「星雲學說」與實踐提出了簡明清晰的圖解，有助於讀者理解學說之脈絡及實踐的範疇。

這就是說，星雲大師所弘揚的人間佛教，既有根本佛法的思想理論，又有大乘佛教的實踐之道，其嚴謹的思想內涵及組織架構早已形成一門體系完備的「思想學說」。

（三）「學說」導引下的求新求變

這本新著可以解釋多年來大家在思索而似乎難解的問題：

- 星雲大師如何以其智慧，把深奧的佛理變成人人可以親近的道理？
- 星雲大師如何以其毅力，再把這些道理變成具體的示範？
- 星雲大師又如何會有這樣的才能，把龐大的組織管理得井然有序？
- 星雲大師又如何會有這樣的胸懷，在五十八歲就交棒，完成佛光山的世代交替？又如何在交棒之後，再在海內外及大陸另創出一片更寬闊的佛教天空？

• 星雲大師又如何以其願力、因緣、德行，總能「無中生有」，創辦國內外五所大學，又能把佛教從一角、一地、一國而輻射到全球，特別是中國大陸？

大家想知道的答案，在過去相關大師的著述中，已獲得了不少線索。現在從這本新著中終於有了一個更完整的宏觀解釋。

那就是因為大師對人間佛教的理論有深邃的領悟與信心，因此就能在「不變」之中「求新」「求變」「求突破」，也就能改革陋習，擺脫守舊，走一條與傳統宣揚佛教不同的道路。

滿義法師對大師說法時的神情、態度、開明、機智、熱情、方法……有生動的敘述。他說：大師——

• 詮釋佛法的語言很人性化，他的佛法沒有教條，也不標榜神通靈異，親切的從人的立場出發，獲得啟示與受用。

• 說法善於舉喻說譬，常利用故事、公案，藉以詮釋深奧的道理，令人心開意解。

• 說法理路清晰，前後有連貫性，簡潔扼要，不會離題漫談。

• 說法機智幽默，一句話就常能回答一個難解的問題。

• 言行一致，一生信守承諾，所開示的佛法都是自己躬親實踐過，所以說來令人信服。

• 講話圓融，客觀中肯，總能令舉座皆大歡喜。

• 為人慈悲厚道，從小就學習「口邊留德」，不責怪別人，溫厚的性格，總是令人如沐春風，凡是與之接觸過的人，無不被他的誠意感動。

• 將信仰與事業結合，使信仰佛教的人口逐漸「年輕化」、「知識化」，改變過去一般人對佛教的觀感。

• 首開興辦活動之風氣，透過「多元」活動，發揮「寓傳教於活動」的弘法功能，讓佛教走向社會，改良風氣，再走向國際，讓五大洲因佛光山而認識中華文化。

（四）「人間性格」增進「人間紅利」

人間佛教有了「學說」的根據，有了「實踐」的方法，又有一位擁有空前群眾魅力的星雲，佛光山的影響自然無遠弗屆。

大師的弘法歷程起自棲霞山寺受戒，在宜蘭窮困中起步，從高雄佛光山立足，帶領徒眾出發，以無比的信心與智慧，一步一腳印，把人間佛教傳播到世界各地。其中最關鍵的一個原因，即是這位揚州和尚擁有與生俱來的「人間」性格。這個無限遼潤又融入眾生的「人間」性格，充滿了說服力、執行力。再延伸出、放射出、推展出無人可以同時兼有的大眾性格、文化性格、教育性格、國際性格、慈善性格、包容性格。

因此，佛光山自開山以來，不分地區、膚色、年齡、性別、教育、所得、甚至宗教，堅持以融和與喜悅之心，推動文化、教育、慈善、共修、公益、社教等的事業與活動，打造「安樂富有」的人間淨土。

這正是我近年來嘗試把佛光山的貢獻涵蓋為「人間紅利」這個概念。「紅利」（dividend）本是一個商業名詞，形容「資金的回收」。自從西方世界一九八〇年代出現「和平紅利」（Peace Dividend）一詞後，已被廣義地解釋為：增加人民及社會福祉的政策，所能帶來有形及無形的回饋、利益、好處等。如以和平替代戰爭為例，則個人生命、時間、國防支出、資源浪費等就可移做更好的使用。

因此大師推動的人間佛教所提倡的理念，即以「做好事、說好話、存好心」而言，已經帶給海內外無數的信徒、民眾，以及各界領袖珍貴的「紅利」——這種無形財富可以包括人格昇華，邪念改正，善良提倡，財富分享，鬥爭減少……

再以二〇一五年三月博鰲亞洲論壇為例，大師在主題演講中，提出現代社會需要佛教做出四個貢獻：佛教希望：（1）人我和諧，不對立（2）同中存異，不異中求同（3）中道緣起，相互尊重（4）和平共存，不要戰爭。

大師所提倡的入世的、與人民福祉結合的人間佛教，為世人帶來的難以估計的「紅利」，是為「人間紅利」。

二〇一五・四・二十三
二〇一六・五・二十七 修訂

人文思維及宗教情操

——記第一屆「星雲人文世界論壇」

（一）

二〇一二年六月十六日是歷史性的一刻。在佛光山佛陀紀念館，來自海內外的朋友共同見證了第一屆「星雲人文世界論壇」創辦會的開幕。

創設這個論壇最大的願望就是要融合人間佛教與人文世界。人間佛教就是星雲大師所解釋的：「佛說的、人要的、淨化的、善美的；凡是有助於幸福人生增進的教法，都是人間佛教。」

因此人間佛教的精神是包容、奉獻、捨得、無我。「人文世界」是指人類對多種面向（如文史哲、藝術、音樂）的求知與知識的理性探討。當「人文世界」聚焦於「人本思維」時，就是在提倡人類的平等、博愛、正義、公平。

因此人間佛教與人文世界，所追求的，所提倡的，有很多的重疊，完全可以產生相加相乘的功能。是這個原因，使大師很高興接受以「星雲」之名來舉辦這個論壇。

（二）

當前的台灣，被認為在華人世界中最民主、最擁有中華文化底蘊，以及旺盛民間生命力的地方；但我們仍然擔心社會上的功利與貪婪、自私與短視，財富的創造與分配，人才的培育與流失，以及政治上的對立。大師特別對這種現象憂慮，近年來所發表的一些重要文章，已經引起社會普遍的共鳴。在這一關鍵時刻，台灣社會就更需要注入人文思維及宗教情操。

（三）

第一屆的論壇以「改變」（change）為主題。「變」可能變「好」，可能變「壞」。「改變」通常指「良性的變化」，意含「改革」及「改善」。

勇敢的重大改變可以改善人民的生活品質及社會進步；錯誤的重大改變則帶來人民的痛苦及社會的混亂。

在中華民族的近代史上出現了二位政治領袖，台灣的蔣經國先生與大陸的鄧小平先生，由於他們勇敢的改變與堅持，都改善了人民的生活，家庭的幸福及社會的發展。

十分難得的是邀請到了世界級的哈佛大學傅高義教授，專程來台參加這個論壇。這位精通中文和日文的美國學者，對我們東方人來說，一點也不陌生，他的《日本第一》，不僅在稱讚日本，更在警惕美國。他來台灣，喜歡用中文交談。對他的著作《鄧小平改變中國》，美國學術界的評論是「呈現一種過人的洞察力」。華文世界的讀者，透過中譯文，可以讀到這本五十五萬字的鄧小平改革，這真是他一生學術生涯的重大貢獻。

另一位主題演講者是大師自己，主講「人間佛教改變了人心」。我曾經這樣歸納過星雲大師的一生——十二歲做和尚，二十三歲到台灣，投下了六十年的心血，開創了一個無遠弗屆的人間佛教，這是「台灣奇蹟」的一部分！他的一生：改革了佛教，改善了人心，改變了世界。

我自己則以「智慧創新改變了社會」，強調「智慧創新」的特質有八：要使用較少的材料、要產生較少的汙染、要減少新款式、要以耐久替代時尚、要以簡單替代複雜、要以分享替代壟斷、要以實在替代奢華、要以實用替代講究。這樣的綜效就有較大的可能走向「永續發展」。

現場一千五百餘名聽眾，大概見證了「改革開放」、「人間佛教」，以及「智慧創新」所產生的「改變的力量」。

二〇一二．七．十六

「百年人物」與「民族之寶」

——星雲大師八六華誕

（一）民族之寶

二〇一二年，我們在佛光山慶祝一位偉大的宗教家——星雲大師的八六華誕。對他來說，真想婉辭大家的好意；對我們來說，這是出於誠摯的、自發的敬意。

天下文化三十年來，有機會出版了十本大師自己及相關的著述。建國百年時，我們選了百年以來二十位在歷史上有重大貢獻的人物，編寫出版《百年仰望》。其中十八位已經過世，如王雲五、胡適之、傅斯年、李國鼎；只有兩位健在，一位是諾貝爾物理獎得主楊振寧教授，一位就是星雲大師。所以大師是民國以來的「百年人物」，更是被公認為「民族之寶」。

（二）三個體會

二〇一二年九月十一日，天下文化在台北要慶祝三十週年，我們細心準備了「特別貢獻獎」，要在大會中致贈大師，但是那天他在天津的「世界論壇」上發表關於宗教和信仰的重要演講，因此九月七日在大師八六生日當天，我們專程來到佛光山送贈這個獎。上面寫著這兩段話：

對全球華人，您推動的人間佛教，
改革了宗教、改善了人心、改變了社會；
對兩岸人民，您展現的慈悲與智慧，
增加了和平共生、增加了和諧相處、
增加了和善交往。

要真正了解大師的人間佛教，應當要讀大師最近寫的一本書：《人間佛教何處尋》，這是大師對人間佛教的完整詮釋，是實踐教法的藍圖，涵蓋了現代公民所追求的二十個層面。這本書是慶祝天下文化三十週年特別以「前進的思索」為主題所編寫的。它是十位重要人物的文集，大師的是第一本，其他的作者包括了沈君山、張作錦、陳長文、洪蘭、嚴長壽等。

大師一生的貢獻，使我們產生三個體會——第一：「有佛法，就有辦法」第二：「有大師，就有老師」第三：「有星雲，就有幸運」。

此刻成千上萬海內外大師的信徒及朋友，多麼希望也能出現在這裡，讓我們一起祝福大師生日快樂。

二〇一二·九·七　佛光山

生命七七、雲端九九

——寫在星雲大師生日八八

（一）生命七七

二〇一四年是抗日戰爭（一九三七年）七七事變的七十七週年。天下文化出版了《我們生命裡的七七》（張作錦、王力行主編）。八年抗日戰爭，割裂了一代中國人的命運；顛沛流離，國破家亡，留下了難以磨滅的傷痛。

星雲大師在書中寫了一篇長文追憶。當時只有十歲的他，聽到南京大屠殺，看到日軍的暴行，尤其追憶棲霞山出家修行的因緣。

「七七」變成了我們出生那個年代，難以磨滅的一段生命悲劇。

（二）生日八八

二〇一四年八月十七日，在佛光山上慶祝一位偉大的宗教家八十八年前的誕生。佛光山在華人世界是一個慈悲、信仰、開放、創意的象徵。大師的智慧高，但不是高不可攀；大師的道理深，但不是深不可測。如果「一念之間」可以改變一切，那麼，佛光山就是最能產生「好念頭」的地方，星雲大師就是會使你產生「好念頭」的人物。海內外民眾都熟悉的「三好」（存好心、說好話、做好事）的發源地就在這裡。只要有機會與大師接觸，就會被他感動。

在人類漫長的歷史中，不是每一個世紀都出現偉人；更不是每一個時代都有受人尊敬的領袖。在台灣我們何其幸運地見證到六十五年前，一位二十三歲的揚州和尚，經過半世紀來一步一腳印的全心投入，以及全年無休的無私奉獻，他已變成了華人世界受人敬仰的佛教領袖；特別是他對台灣、中國大陸以及全球華僑社會，產生了深遠的影響。

星雲大師所憑持的就是半世紀以來他一直在拓展的、傳播的、實踐的人間佛教。

這位民國以來的「百年人物」，這位「民族之光」的佛教領袖，以其

智慧與才能，把深奧的佛理，變成親近的道理；以其毅力與創意，再把這些佛理變成生活中的示範；更以其感召力與執行力，半世紀以來興建了佛光山、佛教學院、美術館、五所國內外大學，以及創辦香海出版社、人間衛視、《人間福報》，以及壯麗的佛陀紀念館。

這是來自海內外無數信徒的自發力量，這是來自人間佛教感召的有形力量，這更是來自大師慈悲與智慧所產生的整合力量。

（三）雲端九九

數位革命已把人類浩瀚的資訊與知識放置在雲端。十一年後大師九十九歲，「九九」象徵「永久」，我們不要擔心大師是否還健在，因為大師終身的智慧，包括在海內外的開示、文章、演講、著述、言行，已經放在雲端，永遠不會消失。只要上雲端，大師就活生生地出現。

星與雲永在人間。

二〇一四．八．二十
二〇一六．五．二十七　修訂

第二部

星雲的情義

他自喻為地球人，跨越宗教、人種、地域。
他自己與天主教、伊斯蘭教等領袖或會談、或交流、
或共同推動世界和平、人類博愛。

「做好事、說好話、存好心」，
大師以「三好」為核心，
進而構建「三和」：「人民和睦、兩岸和平、人類和諧」，
形成台灣、大陸與世界的「共和」。
這也是星雲對全人類的情義。

星雲之心

——讀《百年佛緣》

（一）透明與無私

讀完十五卷大師口述的《百年佛緣》，就像百科全書那樣地內容豐富、引人入勝，真是傳記的典範。大師每做一件事，都做得盡善盡美。一年前落成的佛陀紀念館以及這套剛出版的《百年佛緣》，就是他年近九十的另兩個例子。

記錄「佛緣」的書記有一段生動的見證。「這部《百年佛緣》的特質是大師將一己化作燈蕊，以一生的磨難點燃自身，去照亮這百年中的佛教人事物；以自己為布幕，映照書中的每個生命、每一事例，曖曖含光，念念分明。」

因此《百年佛緣》是大師敘述他的生命歷程——不論是生活、社緣、文教、僧信、道場、行佛，娓娓道來，美不勝收；也折射出一個大時代的苦難奮起——百年來中國的動盪、台灣社會的嬗變、海外華人的處境。

是因為大師內心深處擁有了透明與無私的信念，書中才會記述這麼多人物的交往，這麼多事物的觀察，這麼多改革的推動，這麼多佛緣的分享。

（二）「星雲精神」

六十年來大師的貢獻，呈顯在三方面：改革了宗教、改變了社會、改善了人心。讓我分別以「星雲精神」、「星雲價值」，及「星雲之心」稍做引申。

「星雲精神」就是不怕困難、不懼挫折，求新求變，曲直向前。最好的實例就是與二〇〇五年暢銷全球的英文著作《藍海策略》（*Blue Ocean Strategy*）相比。此書的二位管理學者金偉燦與莫伯尼指出：任何組織不可能永遠保持卓越，要打破這個宿命，就是要脫離「血腥競爭的紅色海洋」，去追求一個完全嶄新的想像空間；不再堅守一個固定的市場，要勇敢地另建舞台，另尋市場，另找活水，就能在新發現的藍海中揚帆前進。否則，就會在一池死水中衰退，終至消失。

開創藍海，要有四項策略：（1）「消除」哪些習以為常的因素？（2）「減少」哪些不必要的因素？（3）「提升」哪些需要的因素？（4）「創造」市場上尚未提供的因素？（1）與（2）在節省成本，以擴大需要；（3）與（4）在創造「差異化」與「新價值」，以開拓市場。

會令《藍海策略》作者驚訝的是：他們所倡導的藍海理論，事實上早已有大師與他的弟子默默地在推動：

- 佛光山一直在努力開創人間佛教的「新市場」；
- 與其他宗教常相往來，使「競爭」變得不對立；
- 吸引新的信徒以及創造社會的新需求；
- 以新的事業與願景，增加信徒的熱情及社會的信賴；
- 不斷提升內部人才的培育與外語能力，並且加強內部作業系統。
- 更以不同的說法語言及弘法方式來傳播人間佛教。

這樣的用心、做法、效果，更超越了藍海策略。因此二〇〇五年滿義法師所寫的《星雲模式的人間佛教》就是「星雲精神」的推廣，即是人間藍海擴大的中文版；更正確地說，星雲大師是人間藍海的領航者，比之英文著作已經先啟航了半個世紀。

更需要分辨的是：企業所追求的「藍海」是企業利潤、個人財富與產業版圖；人間佛教所追求的「藍海」是現世淨土、人間美滿、慈悲寬容。

就是這種藍海策略的「星雲精神」，改革了人間佛教。

（三）「星雲價值」

「星雲價值」進一步「改變了社會」。大師的價值觀，就是堅定不移地推動人人可以親近的人間佛教：佛說的、人要的、淨化、善美的；凡是有助於幸福人生增進的教法，都是人間佛教。

同時又提倡：給人信心、給人歡喜、給人希望、給人方便。

面對社會的不安，又提倡：做好事、說好話、存好心。

人間佛教的推廣，是透過直接與間接的方式、宗教與文教活動走進人群、走進生活、走進社會及走向國際。大師本人當然是最關鍵的人物，凡是接觸過他的人無不被他的一言一行所感動。

大師又深知人生離不開金錢、愛情、名位、權力，因此又不斷提倡正確的價值：「要過合理的經濟生活、正義的政治生活、服務的社會生活、藝術的道德生活、尊重的倫理生活、淨化的感情生活」。

他自己從不間斷著述立論、興學育才、講經說法、推廣實踐、四處奔波，全年無休。「星雲價值」就這樣地溶入眾人的生活之中，年復一年地變成了社會向上的巨大力量。

（四）「星雲之心」

集「星雲價值」與「星雲精神」於一身的即是「星雲之心」，大師以其一身言行，做到了「捨才有得」、「我不會命令，只會慈悲」、以「出世的精神做入世的事業」、「給人利用，才有價值」。大師常說的十句片語，正表達了「星雲之心」的十個元素：

- 你中有我，我中有你。（命運共同體）
- 以無為有，不據為己有。（無欲則剛）
- 大眾第一，自己第二；信徒第一，自己第二。（老二哲學）

- 你對我錯、你大我小、你有我無、你樂我苦。（包容、謙卑）
- 做難做之事，處難處之人。（接受挑戰）
- 有情有義，皆大歡喜。（追求雙贏）
- 我不懂管理，只懂人心。（以心帶人）
- 跟別人結緣，只有真誠的心。（以心交友）
- 不看我的字，看我的心。（以心寫字）
- 我有一點慈善心及一顆中國心。（以心為本）

這顆「星雲之心」的全面光輝就是慈悲和智慧。因此大師所到之處，就激起了浪花，掀起了風潮，引發了熱情，創造了改善人心的無限價值。

（五）最後的問與答

人間佛教、佛光山、佛陀紀念館、星雲大師都已變成了「台灣之光」。這是「台灣奇蹟」的一部分，這是台灣「寧靜革命」的另一章，這是中華民國開國百年來的宗教傳奇。

在眾人心中，總不免好奇地想瞭解：星雲大師——

• 如何以其智慧，把深奧的佛理，變成人人可以親近道理？
• 如何以其毅力，再把這些道理，變成具體的示範？
• 又如何會有這樣的才能，把龐大的組織，管理得井然有序？
• 又如何會有這樣的胸懷，在五十八歲交棒，完成世代交替，又如何再在海外開創一片更寬闊的佛教天空？
• 如何能著述及口述近兩千餘萬言，並且譯成英、日等二十餘種語言？
• 如何能獲得三十個以上國內外的榮譽博士及無數的獎項？
• 如何能在國內外辦多所大學、社區大學、中華學校；又如何能創辦《人間福報》、人間衛視、多所圖書館、美術館、全球近三百所道場，以及壯麗的佛陀紀念館？
• 最後，又如何以其願力、因緣、德行，總能「無中生有」，把人間佛教從一角、一地、一國而輻射到全球？

如果細讀《百年佛緣》全集，大概就可以找到線索及答案。

面對所有這些建樹、成就及榮譽，大師大概會淡淡地說：「所有這些都不是我的，一切都是大眾的。」大師居然沒有自己的書房與書桌，也沒有自己的帳戶及存款。

大師會更堅定地說：「我來世還要做和尚，我做和尚做得不夠好。」

大師心中還有一個與時俱增的掛念：就是兩岸的和平交流與兩岸的和諧相處。

二〇一三．三．六 台北

大師原來一直是位詩人

——星雲大師詩歌集策畫緣起

高希均、王力行

（一）前記

二〇一二年十二月十日在瑞典諾貝爾獎頒獎典禮上，介紹來自中國的今年文學獎得主莫言先生的第一句話是：「莫言是一位詩人……」

從六十年前刊出的長詩「無聲的歌唱」到最近剛完成的「佛陀，您在哪裡？」，原來大師一直也是一位詩人！

星雲大師一生著述逾兩千萬字，《詩歌人間》是他一生中第一本出版的詩集。

這不只是一本詩集，更是一本以文學的筆尖，記錄宗教、歷史、人生、地球的心靈之旅。

諾貝爾文學獎得主莫言先生受星雲大師邀請來台，出席二〇一三年九月十五日第二屆「星雲人文世界」論壇。我們忝為論壇的合辦人，偕同大師接待莫言先生一家人的到訪。

初抵佛光山之時，莫言先生看到了南台灣的秋日夕陽，遍灑佛陀紀念館的禮敬大廳三樓，窗外有著座落在本館後方的巨大佛像。在夕陽餘韻下，閃著光芒；大師座旁的莫言先生，談著他的佛法因緣，我們和法師們一同見證文學與佛光的初遇。

談興正熾，大師請了座前的妙廣法師吟誦他剛完成的一首詩：「佛陀，您在哪裡？」悠遠意長的提問，是對浩瀚宇宙時間與空間的問訊，遠方蜿蜒的高屏溪，人間款款，自然之色皆同和於法師的音律之中。

聆賞片刻，心寬清明，這股大開大闔之氣勢下，我們突發一想，何不為星雲大師編一本詩集！今日與莫言及大師同座賞詩，已是千古之響，如以同為千古之功的書籍相映，見證這段因緣，佳話美事。

承大師慨允，由佛光山法堂書記室收錄大師弘法一生的詩、歌、祈願文、菜根譚四種文體的作品，交由天下文化編印《詩歌人間——星雲大師第一本詩歌集》。當日短暫的詩歌饗宴，延伸到大師一生詩集的出版，這真是萬千海內外讀者的福氣！

（二）

二〇一三年初，星雲大師口述歷史《百年佛緣》出版，大師用詩的形式，寫了一篇後記，這首詩長達二百九十三行，涵蓋了大師一生最重要的故事。

他是這樣破題的：

有人問我今年幾歲？
我反問地球：您活了多久？
地老天荒，我在哪裡？
萬千年的流轉，我又在何方？

這不就是每一個人對生命來到世上發出的「天問」嗎？

接著大師又敘述：

在我近百年的歲月裡，
南北東西已不是地老天荒；
是在六道裡流轉？
是在法界裡流浪？

問往事記載，已一片蒼茫；
這八十多年的歲月，
我歷盡了多少滄桑。

於是，少年的磨難、出家的因緣、叢林的聲鳴、渡海的艱難、受屈的辛酸、貴人的溫暖，乃至無畏的弘法，從蘭陽布教、壽山建寺，一步步開創出佛光山，以及遍布全球五大洲的佛光事業，在大師的筆下，如行雲流水，時空倒帶，歷歷分明在讀者的眼前。

最後，大師寫道：

吾母送子入佛門，
要在性海悟法身；
兒今八十有七歲，
弘法利生報親恩。
我在心靈的深處訴說著：
天下為心，法界悠然；
盡未來際，耕種心田。

無論高唱低吟，浩浩蕩蕩，最後還是回到了一念三千、三千一念的初心，令人低迴不已。

（三）

詩歌的優美所發出的力量是直接當下的感動，從蒐集古代先民傳唱歌謠的《詩經》開始，詩歌就是最坦誠的心靈、最真實的生活、最易懂的語言、最自然的唱腔所流露出來的結晶。人們用詩歌來抒懷、詠嘆、表情、達意，原本都不是為了闡述長篇道理，而是把我的意思、我的心情說出來、唱出來讓你了解，希望你懂了、受用了、感動了，用同樣的方式來酬答、應和。如果詩歌與眾人心意相通，轉述傳唱，一音百和，自然就形成了流行，形成了感染力，這比任何的教化，更能藉朗朗上口，深入人心。

星雲大師雖自承佛教的唱誦非他所擅長，但他深知詩歌的力量。早年在宜蘭傳教弘法時，就成立佛教青年歌詠隊，他親自寫歌詞，請人譜曲，難得的是，這裡面有不少是他到宜蘭之後新學的閩南語歌詞。可見他是如何努力克服語言的障礙，藉由詩歌與當地人融合一體。

一直到現在，佛光山都有「人間音緣」團體，他們所唱的有許多都是大師創作的詩歌。

從年輕時就筆耕不輟，大師不僅利用夜晚時間，孤燈下完成小說《玉琳國師》（佛光山開山購買土地的經費一部分就來自於此書版稅），也用筆名寫詩向雜誌投稿。一九五三年六月，一篇作者署名「摩迦」的長詩〈無聲息的歌唱——為「物語」作序〉，刊登在《菩提樹》雜誌上，這首詩有個片段寫出家人的隨身物「缽盂」：

塵世之路，
有伴侶陪著寂寞，
方可邊走邊笑，
「村犬吠不休！」

多美的文學意境，當時的大師是位詩人啊！

至今，大師仍在寫詩。二〇一三年一月，他寫了「星雲・和應余光中先生〈行路難〉」：

……………

春有牛首　秋有棲霞
雨花紅葉　回首難忘
欲去江西
一花五葉
禪門五宗的文化
至今人人都嚮往
江西得道的馬祖禪師
洞庭湖的石頭和尚
多少人在『江湖』來往
江湖一詞
生活的榜樣
臨濟兒孫滿天下
廬山的景光迷濛
何愁江西無望

……………

弘揚佛法普照全世界的星雲大師，依舊是一位詩人。

（四）

天下文化曾經出版過星雲大師的傳記《傳燈》、《雲水日月》、《星雲八十》，以及闡述大師思想及信仰根源的《星雲模式的人間佛教》，都得到了海內外讀者的熱情迴響。

這本詩集包含了四個部分：（1）詩（2）歌（3）祈願文（4）佛光菜根譚。後兩部分是讀者比較熟悉的：祈願文完全以白話文書寫，淺白中蘊藏深切的慈悲；《佛光菜根譚》比古人的《菜根譚》更貼近現代社會需要，實用中含容無限的智慧。前兩部分會使讀者驚喜，大師不僅是一位大家熟知的宗教家、教育家、實行家，更是一位詩歌的創作者。一位用生動易懂的文字，傳遞深奧佛理與生活哲理的人間詩人！

大師的詩從二十世紀寫到二十一世紀，這本《詩歌人間》，在人間佛教無限寬廣的路上，會變成永遠的「人間詩歌」。

二〇一三．十一．二十九
二〇一六．五．二十七 修訂

山上有星雲

（一）

夜宿佛光山
一年來幾回
山上有星雲
星雲有智慧
山上看星　星格外高
山上看雲　雲格外飄

（二）

高雄佛陀館
一年來幾回
館內有大師
大師有慈悲
大師倡三好　三好人人好
大師推四給　四給人人給

二〇一五・三・六
二〇一六・五・二十七修訂

從貧窮戰亂走向和平幸福

——第二屆「星雲人文世界論壇」講詞

（一）發奮走上寫作

星雲大師於一九二七年出生在江蘇揚州；莫言先生於一九五五年出生在山東高密。在那個動亂的年代，相差二十八年的歲月，相差八百公里的距離，在生活艱困與經濟落後方面是沒有差別的。正如大師追憶：「我們同樣經過貧窮、飢餓的考驗，彼此都在困難的環境中成長。」莫言先生在美國史丹佛大學演講時，標題就是「飢餓和孤獨是我創作的財富」。他告訴美國朋友在二十世紀六〇年代初期：「人民吃不飽穿不暖，幾乎可以說是在死亡線上掙扎……長期的飢餓使我知道，食物對於人是多麼重要。什麼光榮、事業、理想、愛情，都是吃飽肚子以後才有的事情。因為吃，我曾經喪失過自尊；因為吃，我曾經被別人像狗一樣地凌辱；因為吃，我才發憤走上了創作之路。」

或許有人會說：「要做偉大的宗教家與文學家，必先修一門飢餓的課。」不，不能這樣殘酷地要求；我們讀經濟的要說：消滅飢餓、消滅貧窮、消滅無知、消滅落後，是人類走向進步必須跨越的第一道門檻。

(二) 新觀念的衝擊

一九五九年，一個二十三歲在南京出生，在台灣長大的青年，申請到了一份美國大學的助教獎學金。

他去美國讀書就是要研讀如何使國家不再落後，人民不再貧窮的一門新學科——它叫「經濟發展」(Economic Development)。

當時台灣的每人所得不到兩百美元，大學畢業生的月薪是八百元台幣，我每個月念書的獎學金是在台灣工作月薪的八倍。這就是當時台灣的落後。

在美國五年讀書(一九五九—一九六四)的過程中，「新觀念」的接觸帶來了空前的衝擊。對一九五〇年代的台灣學生是多麼陌生而又多麼地興奮。半世紀前我難以置信地在教室裡聽到，在社會上看到，在生活裡體驗到：

- 愛用國貨不一定愛國。
- 國營事業的績效比不上民營企業。
- 多種形式的保護與限制看來必要，但常常產生各種巨大的負面效應。
- 提升基本工資的好意，反而可能產生失業的惡果。
- 幫助窮人不要靠救濟，要靠教育。
- 追求利潤的「市場」居然會比充滿好意的「政府」既「聰明」、又「有效」。
- 追求「私利」和「財富」，常常「利己」也「利人」。

如果一九六〇年代在歐美有不少年輕人被馬克思思想吸引住，那麼我更著迷於資本主義市場經濟下的運作及那隻看不見的手。自此，我要做一位提倡「進步觀念」的「自由人」。

什麼是觀念？觀念就是一種看法、一種推理、一種思想；它同時也反射了一種意願、一種嚐試、一種嚮往。它表達了一個人的價值標準、專業知識，以及道德勇氣。

什麼是「進步的」觀念？「進步的」觀念是在法治與民主的天秤之下，這些看法與論點能夠促進經濟效率、社會公平、文化進步與永續發展。它向特權、壟斷、保護、惰性等等現象挑戰。

法國的文學家雨果在十九世紀就說過：「當一個觀念成熟時，武力都擋不住。」可惜，這種狀況常常等都等不到。三十年前我在台灣提出公立大學的學費應當要合理調整，到今天還是困難重重。

（三）第一站是北大

當我再回到出生的大陸是三十九年之後一九八八年的六月。第一站就是北京大學，應邀在前燕京大學校長司徒雷登住宅改成的會議室中演講，題目是「分享現代經濟觀念」，在當時只講馬克斯主義的北大，向那些資深的教授與年輕的研究生，分析資本主義下的市場經濟，是一個難忘的經驗。

我一開頭是這樣說的：「五四運動所提倡的德先生（民主）與賽先生（科學）是現代國家需要的兩個輪子，可惜還缺了另兩個輪子：那就是經濟與教育。民主可以治國，科學可以強國；但是沒有經濟如何富國？沒有教授何以立國？如果當時就提出了這四項，中國的現代化是否會減少不少的冤枉路？」有了四個輪子，「現代化」這輛汽車才能平穩和快速地往前開。這個觀察，可以說是我研究經濟成長與教育發展二十多年後的心得。

在這裡我必須要引述哈佛大學政治經濟學講座教授傅利曼（Benjamin

M. Friedman）所寫的一本重要著作：《經濟成長的道德後果》。直覺地聯想是，這本書在警告讀者：經濟成長帶來了眾多不幸的「道德後果」：如價值觀墜落、治安衰退、離婚、自殺、吸毒增加、所得差距惡化、環境汙染……讀者大概沒有想到這本至少贏得了三位諾貝爾經濟獎得主的強烈稱讚的書，是以幾個世紀西方社會的經驗指出：當經濟成長發生時，大多數人民的生活水準提升，也同時產生了良性的「道德後果」：它增加了人民：（1）各種的機會（2）彼此的包容（3）向上的移動（4）社會的多元傾向、公平與法治，以及（5）強化了民主的追求。相反的當經濟衰落時，使人民經歷到另一種不幸後果：法治、清廉與民主退步，示威、抗爭、歧視、暴力則不斷增加。經濟衰敗帶來了道德的衰退。

（四）相互排斥到相互交流

從一九八八年第一次回大陸訪問，到今天也只有二十五年的時間，大陸已躍升到世界第二大經濟體，僅次於美國；外匯存底超過三兆美元，全球第一；有幾個省份一省的GNP已超過我們整個台灣；更不要忽視太空、飛彈、高鐵等基本建設，包括高等學府方面的進步，尤其令我們驚喜的是去年諾貝爾文學獎的得主，是一位完全在中國土地上孕育揚名的作家。

六十多年來，台灣與大陸兩邊的進步已經從過去的相互否認、相互排斥，逐漸進步到相互容忍與相互交流的地步。

在今天的台灣，處處可以看到人民的自由、自在、自我；因此也就看到了人民的品質、民間的活力、人性的尊嚴，以及自我選擇的生活方式。

今天在華人世界中，台灣最大的資產，就是這些無形而珍貴的「心智空間」。每一個人可以自由地思考、閱讀、學習、表達；進出國門檢查，不需一分鐘；批評官員，不需要一絲勇氣，甚至不需要經過大腦。

六十多年來台灣社會，雖然飽經烽火與波折，但是民間生命力一路走來，始終堅韌。當這些生命力投入各種產業（包括文化創意）時，我們就見到了一波又一波的異軍突起。這是台灣社會「亂中有序」的安定性，以及遠離政治後民間力量的擴散性。因此近二十年來台灣的創新、舞蹈、電影、設計、體育等，在國際舞台上都有驚豔的展出與成就。

隨著自由與民主的生根與政權的輪替，台灣的年輕一代，已經理所當然地生活在一個門戶開放、思想解脫、心智奔放的大環境中，年輕的一代可以熱情地留下來深耕台灣，或者勇敢地走出去開疆闢土，但必須要設法把台灣放在世界地圖上發光，開拓精彩的一生。

（五）經濟發展的重要性

台灣的這些成就得之不易，它來自於台灣經濟的成長、教育的普及，以及民主的推動。

現在，讓我綜合地提出：「經濟」在人類發展過程中所扮演的關鍵角色：

（1）一個社會經濟落後，生活不可能富裕。

（2）一個社會經濟成果屬於少數人，社會不可能安定。

（3）一個社會只注重經濟成長，人民不可能快樂。

（4）一個社會經濟活動受政府全面控制，競爭力不可能高。

更進一步說：

（5）一個和諧社會是貧富不懸殊的、多元的、公義的。

（6）一個進步社會的媒體是公正的、政府與國會是有效率的、人民是肯付稅的。

（7）一個快樂社會是人民生活、社會福利、文化水平、永續發展是齊頭並進的。

（8）大陸和台灣（及其他地區）的歷史教訓是：沒有「戰亂」是人類生存與發展的一切根本。

（六）教育的關鍵角色

再綜合提出：教育在國家發展中的角色：

（1）世界上沒有一個國家，因為教育落後，而社會進步的。

（2）世界上沒有一個國家，因為教育支出過多，而財政破產的。

（3）世界上沒有一個國家，因為教育屬於少數人，而社會安定的。

（4）世界上沒有一個社會，因為教育制度受到政府嚴格管制，而能有創造力的。

（5）世界上沒有一個社會，個人如果不受教育，能活得有尊嚴的。

（6）世界上所有的社會，不能再出現「窮教育」、「苦孩子」、「缺工作」的現象。

（7）沒有一項支出比投資教育更迫切；沒有一項工作比從事教育更神聖。
（8）孩子的微笑，是天使的微笑；孩子的傷痛，是你我的傷痛。

一旦教育受到重視，也就容易產生公共知識份子以及擁有「以人為本」的信念。當以「人」為核心時，就能發揮人性尊嚴，共同追求這些基本信念，如：公平與法治；教育機會的普及；財富的合理分配；文史哲、藝術、音樂、外語等的提倡。因此年輕一代，容易擁有人文素養；這就和薩依德教授（**Edward W. Said**）所提倡的「寬廣的人道關懷」相近。

在人類歷史上，十九世紀出現了「殖民地」，二十世紀出現了「世界大戰」，二十一世紀將以創新實驗室，知識殿堂與文明社會，來減少兵工廠、重工業、炫耀性消費的後遺症。

當前先進國家所面臨的共同問題，不是缺資金，而是缺人才；不是缺最新的資訊，而是缺成功的教育。因此美國的教育家自責地說：「我們的科技可以登陸月球，但還沒有找到有效的方法，教好下一代。」

因為教育與知識的重要，拍腦袋的時代已經過去。代之而起的是用腦袋、用人才；借腦袋、借人才。只要對外門戶開放，對內剷除保護主義，就容易出現競爭力提升的新局面。

（七）現實面的夢想

做為一個終身從事於推廣經濟與教育進步觀念的工作者，現實面的夢想是：

- 人人受教育，就有生存的本領。
- 人人有工作，就有活的尊嚴。
- 人人有付稅的能力及真誠，就會產生文明。
- 人人有盡公民的責任及熱情，就會永續發展。

人間佛教的精神是包容、奉獻、捨得、無我、智慧、慈悲。

「人文世界」是提倡人類在文學、歷史、哲學、藝術、音樂等領域的普及與深耕，追求平等與正義、創造多元與燦爛的人生。

「文明社會」是指構建高度文化水準及科技發展，同時擁有多元創新的機制，相互包容尊重的生活方式，共同致力於永續發展。

創設這個星雲論壇就是要融合人間佛教、人文世界、文明社會，使這三個彼此相容的理念，產生相加、相乘的綜效。

（八）「和平幸福」之夢

一九六三年八月，馬丁．金恩牧師發表了「我有一個夢」（I Have a Dream）的演講，被認為是二十世紀美國最動人的一篇演講，他的夢是消滅膚色歧視，追求民權平等。

當我的一生剛好是一半在美國，另一半在台灣與大陸時，我就在三地的生活體驗中產生了一種強烈的「中華情懷」，它使我：

（1）對中國百年的屈辱有悲情。
（2）對中華歷史與文化有熱情。
（3）對中華錦繡河山有鄉情。
（4）對本土與原鄉有真情。

它也使我熱烈期盼：

（1）大陸增加誠信。

（2）台灣增加自信。
（3）兩岸增加互信。

經濟發展與教育進步帶來財富；比財富更重要的是幸福；比幸福還要重要的是和平。事實上，沒有和平，就不可能有幸福。

・沒有戰爭的恐懼，是幸福。
・把軍備費用改做和平用途，是幸福。
・把第一流的腦袋不造武器，改造文明，是幸福。
・戰爭沒有贏家，和平沒有輸家，是幸福。
・構建和平與文明的社會，是幸福。

「和平幸福」正是星雲大師二十多年來在兩岸奔波所全力推動的；這也正是第二次「星雲人文世界論壇」我們共同追求的夢想。

二〇一三・九・十五

「遠見」緣

近二十年來對我影響深遠的一位長輩，就是星雲大師。

我不是佛教徒，也不諳高深的佛理，但常能從他倡導的平易近人的人間佛教中，獲取很多啟示。即以辦教育而言，我一生教書，能教出多少學生？他所創辦的大學（美國的西來大學、台灣的佛光大學與南華大學）一年就培養出上千的大學生與研究生。

《遠見》雜誌促成了我們相識的因緣。那是一九八九年三月，大師第一次從大陸訪問回來，我們邀請到了他在台北做一次公開演講。

我第一次親身感受到大師的魅力。當時的台北已經出現了「找演講者不易，找聽眾更難」的現象。兩千人的大廳居然擠得水洩不通。我緊張地做了開場白，大師就展開了動人的九十分鐘演講。這應當是四十多年來台灣第一次對大陸行所做的公開演講；星雲大師創下了歷史的一頁。

從那次以後，大師答應了《遠見》的請求，變成了我們的專欄作家、書的作者及傳主。他的文章及文集受到廣大讀者的肯定；在相識的過程中，每隔一段時間，我都有機會向大師請益。所討論的題目，很少談及宗教，大多是環繞著教育、文化、社會、生活等層面。使我感到格外興奮的是：大陸來訪的學者與新聞界朋友，都盼望能得到大師的著作。當大師以愈來愈多的時間在海外傳播人間佛教時，他就愈來愈是個地球人，能夠從他的高度與視野來看這世間的一切，而帶給世人如醍醐灌頂的智見。

二〇〇六・八・一

「遠見」緣　星雲迴響

——《遠見》三週年星雲賀詞

《遠見》雜誌三週年紀念

《遠見》雜誌，傳播思想知識，

可說都是「高見」的表達！

《遠見》雜誌，提出前途遠景，

可說都是「希望」的實現！

《遠見》雜誌，倡導國計民生，

可說都是「均富」的主張！

佛光山　星雲　敬賀

（一九八九年六月，洛杉磯西來寺傳真寄來）

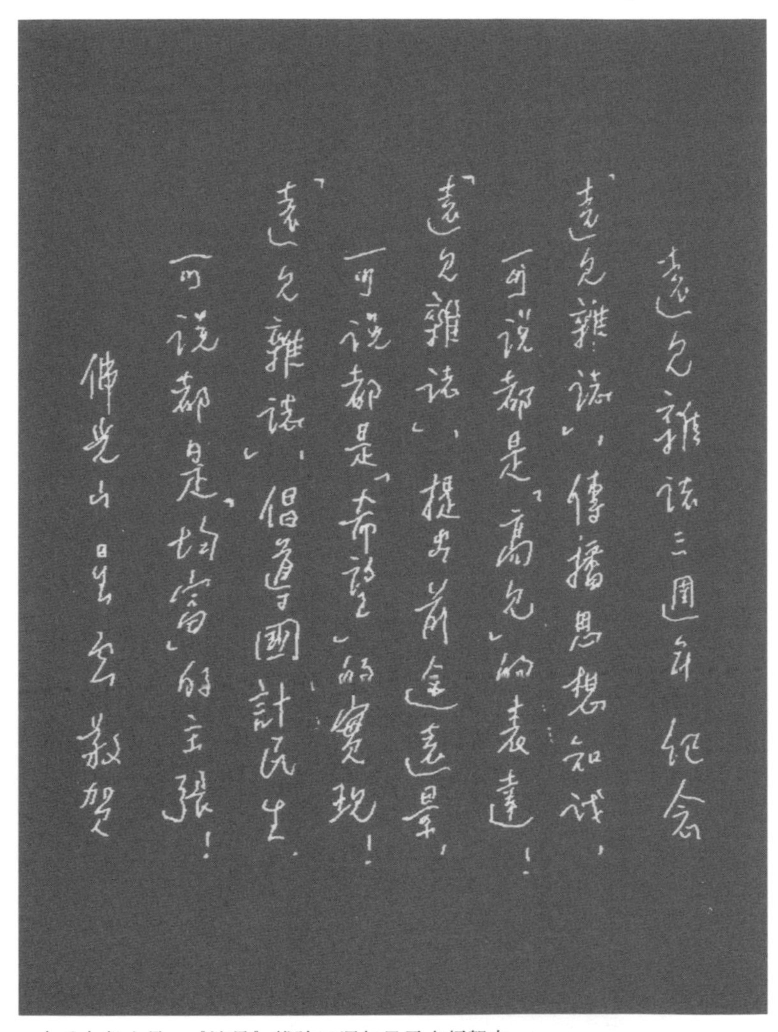

遠見雜誌三週年紀念

「遠見雜誌」，傳播思想知識，
可說都是「高見」的表達！
「遠見雜誌」，提出前途遠景，
可說都是「希望」的實現！
「遠見雜誌」，倡導國計民生，
可說都是「均富」的主張！

佛光山　星雲　敬賀

一九八九年六月，《遠見》雜誌三週年星雲大師賀文

隨大師赴嶽麓書院

二〇〇六年三月，曾有機緣隨大師赴長沙有千年歷史的嶽麓書院聆聽他的演講。正碰上春雨的長沙，數百位聽眾在這個充滿史蹟的書院的露天中庭穿著雨衣，專心地聆聽他的講話，這真是從未見過的感動場面。

然後嶽麓書院的朱漢民院長請我做十五分鐘的講話，其中有一段話我是在細雨中這樣向聽眾說的：

隨著國際佛光會的散布全球，隨著中國社會的逐步開放，星雲大師還有更多的人間佛教事業要做，更長的人間佛教道路要走。

近年來，大師多次受邀訪問大陸，他對中國大陸的愛心，已經播下了友誼的種子，遲早必然會對海峽兩岸有所貢獻，發揮對社會人心淨化的功能。

此刻如果他誕生的土地需要他來協助建立一個和諧社會，我們相信他一定會樂於貢獻出他的心力。

二〇〇五年後，星雲大師再回到宜興復興祖庭，重建大覺寺，並在揚州設立鑑真圖書館及「揚州講壇」，大陸各地設立四十餘所「佛光希望學校」，二十餘所佛光醫院；也在非洲賽內加爾、巴西、印度、菲律賓等地設立育幼院及技能訓練班。

他自喻為地球人，跨越宗教、人種、地域。他自己與天主教、伊斯蘭教領袖或會談、或交流、或共同推動世界和平、人類博愛。近年來常與單國璽樞機主教對話。

在佛光山的大會客廳中掛有三幅字：「做好事、說好話、存好心」。當重要政治人物看到這「三好」時，內心想必會有一番觸動。他近年也在各處推廣「行三好，救台灣」。

大師要以「三好」為核心，進而構建「三和」：「人民和睦」、「兩岸和平」與「人類和諧」，形成台灣、大陸與世界的「共和」。

佛光山佛陀紀念館的興建，是星雲大師晚年深藏內心與願望的實現。

它一面供奉佛牙舍利，供世人瞻仰；另一方面眾人可以學習佛陀的慈悲智慧，創造更真、更善、更美的和諧社會。

此一建館工程占地一百公頃，自二〇〇三年開始，將於紀念民國百年的二〇一一年竣工。佛陀紀念館是一座融合古今與中外、傳統與現代的建築。在佛光山巔，它將閃耀著人類文化與佛教智慧的光芒。

出身貧寒的他，從未學習過寫字。近年因視力模糊，一沾墨就一筆揮就，被稱為「一筆字」。中國藝術研究院院長王文章這樣形容「一筆字」：大師的字超越了俗世「規矩」和「方法」，但卻氣韻流暢；有一種鮮活的靈動之美和深刻的禪意。「一筆字」的書法，近幾年來已在台北、北京、南京等各美術館展出。大師說：「不要看我的字，請看我的心，我有一點慈悲心及一顆中國心。」

他又於二〇〇九年設立「星雲真善美新聞貢獻獎」，肯定在新聞傳播領域，對華人社會有重大貢獻的新聞專業人士；他們堅持理想，建立典範，並發揮社會公器責任。此一貢獻獎已頒發二次，得獎地區除了台灣，已擴及大陸、香港、新加坡、馬來西亞。得獎者包括了典範人物獎成舍我、王惕吾、余紀忠；終身成就獎張作錦及教育貢獻獎與傳播貢獻獎等獎項。

二十世紀大經濟學家熊彼德在一九五〇年去世前，他曾經對彼得・杜拉克父子講過這麼一段話：「人們若只曉得我寫了幾部著作及發明一些理論，我認為是不夠的。如果沒有改變人們的生活，你就不能說改變了世界。」

大師六十年來在自己的著述及實踐中，所提倡的「人間佛教」已經改變了人們的生活，也已經改變了這個世界；像一場「寧靜革命」，已在海內外和平的崛起。

二〇一〇・十二・三十 台北
二〇一六・五・二十七 修訂

中華之光

——北京央視頒贈「星雲大師為中華文化年度人物」

星雲大師在華人世界是一個家喻戶曉、受人仰慕的名字。

他和莫言先生一樣，童年在窮困與沒有唸完小學的環境中成長；但是，兩位都變成了當代受人尊敬的典範。

大師一生的著述逾兩千萬字，用最簡單的話來表達，就是要人類：「做好事，說好話，存好心」；「給人信心、給人歡喜、給人希望、給人方便」。

他一身言行融入到中華文化，自己做到了「捨，才有得」、「以無為有」、「我有一點慈悲心，我有一顆中國心」。

面對各方贈送的三十多個榮譽博士和榮譽教授，及各地興建的大學及會所，他總是淡淡地說：「這[illegible]不是我的，一切都是大眾的。」大師居然沒有自己的書房與書桌，也沒有[illegible]的帳戶與存款，更沒有一所房子的鑰匙。

這位慈悲與智慧的宗教家，盡一生之力[illegible]了宗教，改善了人心，改變了世界，他是：

> 人間佛教在台灣、大陸、海外的開拓者
> 兩岸和平交流、和諧相處的示範者。
> 當前世界上宗教、文化與教育的整合者

註：此為二〇一三年十二月二十日，北京中央電視台播出瞻[illegible]雲大師典禮中，我在現場的講話。

[illegible]〇一三．十二．二十
二〇[illegible]五．二十七 修訂

大師的書法是公共財

近兩年來，曾在佛光山以及台北道場親自看到大師當場揮毫的情景。他的眼力與視線已不十分清晰，卻仍能精確地一氣呵成，書寫出那些氣勢磅礴、傳誦於世的「百福吉祥」、「福慧人生」、「與人為善」等等。

也許使大師感到一些意外的是：各界人士非常歡喜珍藏這些墨寶，並且都要以相當「高價」來表達敬意，用以完成大師想做很多事的心願。因此在很短的時間內，「書法基金」一路攀升。

大師認為此刻「媒體要救台灣」。自去年初起，他創設了「星雲真善美新聞傳播獎」。這個獎已經在二〇〇九年十一月公開頒贈，每位得獎者獲新台幣一百萬元，總獎額達五百萬元。今年大師更擴大舉辦，把得獎名額超過十位，地區擴大到大陸、香港與星馬，總金額為新台幣一千一百萬，超過了大家熟知的美國普立茲新聞獎總金額。這應當是華人社會中最值得重視的真善美新聞獎。

這使我領悟到：半世紀來，大師的智慧已是人間的智慧；大師的「一筆字」不僅開闢了新的書法領域，更變成台灣及海外華僑社會的公共財富。

二〇一〇．五．六

第三部
大師的慈悲

「星雲價值」的核心在於「捨得」：

「我是一個和尚，我做得不好，我來世還要做和尚。」

「所有這些都不是我的，我的，我一張書桌都沒有。」

「以無為有」，

「以空為樂」，

大師的慈悲心，直入人心，

且無遠弗屆。

挑「好」的說

——大師一直在提倡「三好」

（一）

每天排山倒海而來的負面新聞，從政經、兩岸、社會到體育、健保，使民眾看累了，聽膩了、心煩了。

進入二十一世紀的另一個十年，讓我們共同努力構建：一個快樂的家庭、一個和諧的社會、一個進步的國家、一個永續發展的大環境。

走向這個偉大願景的一小步，容我建議：先從大家「挑好的說」開始。用於家庭，家庭會快樂；用於社會，社會會和諧。限於篇幅，只討論對公共政策的批判。

- 對公共政策的優劣，做出符合比例的批評，是天經地義的。
- 謾罵是「自我感覺」良好，於事無補。
- 「無所不罵」則凸顯自己的作秀與無知。
- 評論時政宜有同理心與體諒心，如陳長文與張作錦兩位近來所呼籲的。
- 在台灣，責罵官員，完全不要有勇氣，只要有脾氣；稱讚官員卻需要道德勇氣。

（二）

自二〇〇八年開始，上任一年半以來的馬政府到底做「錯」了什麼？我認為很少；政策推動上，做「慢」了的倒很多。平心靜氣地來探討新流感疫苗、ECFA、美國牛這些公共議題時，這些都是做了「對的決定」，但是為什麼反被認為是「做錯了事」？這就是「專挑壞的說」的效應。就「兩岸經濟合作架構協議」來說，面對「東協加一」自由貿易區的生效，政府只要對可能受影響的產業，採取適當措施，台灣就要趕快簽訂。

少數反對者不斷誇大以及專挑負面影響，而政府溝通力又不足時，就產生了政策的延誤，使全民整體利益受到損失。《遠見》雜誌二〇一〇年十二月中的民調顯示：百分之五十四的民意認為簽訂ECFA對台灣經濟發展的重要，只有百分之十九認為不重要。

當「對的決定」宣布後，政府一碰到少數反對，或遲疑、或收回，或道歉，好像變成「做錯了事」。這種一再出現的場景，起初是展現了風度，以後則是損傷了魄力。這種退讓是多數支持者對馬政府失望的根本原因。

（三）

當輿論發揮「報憂不報喜」的功能時，西方社會也常會出現另一種聲音：請媒體告訴我們：「政府做『對』了什麼？」

台灣的二十五縣市與中央部會當然也做了很多很多值得報導與令民眾興奮的事。可惜「好事出不了門」，使大多數的民眾日日夜夜被所報導的灰暗面所籠罩。

讓我們做三個月實驗：挑「好」的說。把八十／二十原則用在這裡：八成講「好」，二成講「不好」。

- 孩子數學成績從二十分升到四十分時，稱讚這是「一倍的進步」，不是「還不及格」。
- 鼓勵失業的丈夫：「休息是為了走更長的路。」
- 對遲暮的女子說：「妳一直有這樣動人的氣質。」
- 對蔡主席說：「加油，走理性的路。」
- 對馬總統說：「你放心，民調只剩下一個可能：升！」

胡志強有本書名《幽默一定強》（不是「志強一定強」），高希均有本書名《閱讀救自己》（不是「自己救閱讀」），馬英九有本書名《沉默的魄力》（不是「魄力的沉默」）。

星雲大師一直在提倡「三好」：說好話、做好事、存好心。這樣做「三好」，一定有「好」報。這個「報」也指報紙。

大家來實驗三個月：挑「好」的說。我猜想：股市會上升、微笑會增加、「家和萬事興」的曙光也會出現。

二〇一一．一．四

「星雲價值」能改善國會亂象嗎？

這就是十餘年來台灣社會的宿命與弔詭：「立院開議，果然又空轉」（《聯合報》二〇一三年九月十八日頭條標題）；國會殿堂不斷地浪費納稅人錢，一直無效率地在鬥爭；民間仍不放棄努力，點點滴滴地在發揮生命力。

看一看另一個振奮人心的場景。九月十五日佛陀紀念館舉辦第二屆「星雲人文世界論壇」，莫言先生主講「文學家的夢想」，星雲大師主講「宗教學家的夢想」，兩千位聽眾聚精會神沉醉於夢想，卻又驚醒於現實之中。山上展現了文明社會，山下則有鬥爭國會。

在中國二十世紀那動亂的年代，出生揚州的星雲與在山東高密的莫言，相差二十八歲，但同樣只有飢餓與貧窮的童年，同樣地都沒有讀完小學。

莫言全靠家鄉土地的養分，農村貧窮的磨練，自己發憤地寫作，攀登了世界文學的巔峰，於去年獲得了諾貝爾文學獎。

星雲十二歲出家，一九四九年來台，全心投入人間佛教，六十四年來開拓了無遠弗屆的「星雲世界」。

兩個貧窮的孩子，以文字與信仰豐富了全民；那些貪婪的政客，在各種關說的掩護下，只肥了自己。難怪社會上有這種聲音：「落選被關，當選過關。」切斷關說，是必要的一步。

如果立委們能體會下面歸納的六項「星雲價值」，能否會增加國會運作的順暢？兩黨之間的祥和？關說的銷聲匿跡？

（1）你中有我，我中有你。（命運共同體）

（2）大眾第一，自己第二。（老二哲學）

（3）你對我錯、你大我小、你有我無、你樂我苦。（包容、謙卑）

（4）做難做之事，處難處之人。（克服困難）

（5）有情有義，皆大歡喜。（情義兼顧）

（6）跟別人結緣，只有真誠的心。（以心交友）

所有這些「星雲價值」都以「捨得」為核心；特別對日夜追求權勢與財富的人，能做到「捨得」，就比服用任何藥物更有效；它可以救你的健康、家庭、操守、聲譽、以及失眠。

它真能改變今天國會的亂象嗎？篤信佛教的王院長，想必比常人有更多領悟。

二〇一三・九・二十三

貧窮是莫言獲得文學桂冠的動力

——星雲大師及諾貝爾獎得主的交集

（一）貧窮的磨練

二〇一三年九月十五日，「第二屆星雲人文世界論壇」在佛陀紀念館舉辦。今年的主題是「看見夢想的力量」。分別由星雲大師、莫言先生與我從宗教、文學、經濟教育三個領域主講，現場有近兩千位嘉賓與聽眾，盛況空前。

大師生於揚州；莫言生於山東高密。在那個動亂的年代，年齡相差二十八年，地理相距八百公里，生活則是一樣艱困。莫言先生在美國史丹佛大學演講時，形容一九六〇年代初期的中國大陸：「人民吃不飽穿不暖，幾乎可以說是在死亡線上掙扎……長期的飢餓使我知道，食物對於人是多麼重要。因為吃我曾經喪失過自尊，因為吃我曾經被別人像狗一樣地凌辱，因為吃我才發憤走上了創作之路。」

莫言先生是完全靠家鄉土地的養分，靠農村貧窮的磨練，靠自己發憤地寫作，攀登了世界文學的巔峰；他是唯一「土生土長」的諾貝爾獎得主。

在天下文化出版《盛典》的書中，記述今春在北京第一次與大師相會，「感受到大師的護持與提拔」、「此生雖不能落髮為僧，但多讀佛典、多結佛緣，應是今後身體力行的功課。」

（二）素描莫言

在論壇開幕式中，我請莫言先生把台灣看成另一個家，把佛光山當成另一個書房，把社會大眾當你的新讀者；你的身影、故事、作品要常常出現在這裡。稍後他在演講中指出：「安放身體的住處容易找，安放精神的家不容易有，佛光山是我第一個家。」現場響起了熱烈掌聲。

我以八句短語來素描莫言先生一生的經歷：

（1）一個在山東高密五十八年前出生的農民兒子。

（2）一個小學五年級就失學的幼童。
（3）一個在飢餓中掙扎的童年。
（4）一個受「每天能吃餃子」的誘惑想做作家。
（5）一個很會寫故事的作家在一九八五年後（三十歲）冒出。
（6）一本本以傳說、寓言、歷史、當代、幻覺、現實的小說，逐漸震驚中外文壇。
（7）一項項中外得獎紀錄快速累積，著作譯成多國語言（英、法、德、瑞典、日文等）。
（8）一位偉大作家背後有一位默默支撐的妻子——農村長大的杜芹蘭。

二〇一二年十月瑞典諾貝爾委員會宣布：中國的莫言是二〇一二諾貝爾文學獎得主。《盛典》一書記載了他與家人去斯德哥爾摩現場的全紀錄：親切、生動、輝煌、感人。

（三）文明社會的典範

莫言先生最近寫著：「一方水土養一方人」，最令他感念的仍是高密的父老鄉親。「盛宴已散，我心已歸」。這位作家仍然要拿起一枝筆，「努力忘掉那個諾貝爾獎，做一個回到人群中的普通人」。

星雲大師一直謙稱：「我是一個和尚，我做得不好，我來世還要做和尚。」又說：「所有這些都不是我的，我一張書桌都沒有。」大師「以無為有」、「以空為樂」。

幾世紀以前，西方學者就指出：「一旦人類開始嚮往文明社會，就無法拒絕它的誘惑。」歐洲文明自中世紀以來，宗教家與文學家都受到極大的尊敬。我們何其幸運，台灣有一位偉大的人間佛教的實踐家，大陸有一位偉大的文學家；而他們又是如此地謙卑，真是我們走向文明社會中大家應當學習的典範。

二〇一三・九・二十五

二〇一六・五・二十七　修訂

佛陀紀念館的光輝

當世界出現偉大的新建築時，就變成全球焦點。有一座建築即將誕生，閃耀著文化生命與佛教世界的光芒，那就是——佛光山佛陀紀念館。

這座磅礴建築的擘畫者是星雲大師。這是他多年來深藏於內心一個強烈願望：讓世人感受佛陀的精神。在建國百年的十二月，星雲大師把它獻給台灣百姓、華人世界、全球教徒。

從一九九八年迎回佛牙舍利，發願建館供奉。這座占地一百公頃，歷時九年，位於高雄佛光山上，於二〇一一年十二月落成。在這漫長的過程中，我們可以想像這其中經歷了無數的艱辛、無數的心力，及無數的期許。

近幾年我都在佛光山度春節。每次上山，想聆聽的是星雲大師的話，

想看到的就是興建中的佛陀紀念館。每次走到現場，就震撼於紀念館的雄偉；每次離開，心中惦念這座偉大的建築真能如期完成嗎？

最近一次當我漫步在即將落成巍峨的建築群中，不論是仰望中央「本館」，或是遠眺「四聖諦塔」、縱觀「八塔」，從各個角度觀賞，對星雲大師的構思與用心，感動不已。

我不是佛教徒，置身佛陀紀念館的遼闊天地，怦然產生了三種感覺：

第一，這裡的「時間感」悠長

佛陀紀念館供奉佛牙舍利，回歸的是兩千六百年前佛陀的教化。不只溯返深遠的佛陀之心，更前瞻於數千年之後，例如「地宮」，就是一個充滿未來觀的設計。

地宮收藏具有當代性與紀念性的文物，讓後世子孫藉以了解先人的歷史。將來每百年開啟一個地宮，四十八個地宮要經過四千八百年，這是多麼浩蕩的時間巨流。

二〇一一年二月，我在現場，參加「地宮珍寶入宮法會」；幸運的是，我有緣得以手捧珍貴文物「五穀磚」，放入地宮。「五穀磚」是來自佛陀祖國的聖物，未來再出土，恐怕已是數百年之後了。這一刻讓我感悟，人類的世世綿延，正是代代接連的。

第二，這裡的「空間感」生動

過去半個多世紀以來，星雲大師把深奧的佛理，書寫成文字，講說成易懂的故事，編作成朗朗上口的歌曲，演繹成感動人心的戲劇；現在，更透過佛陀紀念館的興建，把深奧的佛理，規畫成人人可以親近的空間。

想要禮佛、禪修的人，館內有佛殿、有修行小洞窟。想要參觀藝文展覽的人，館內有美術館。想要享受園林幽趣的人，佛陀紀念館有花木扶疏、山石錯落有致的「祇園」。想要喝水小飲的人，館內有造型優美、窗明几淨的「滴水坊」。

不論大人、小孩、長者，都能在佛陀紀念館找到舒適的空間。這正是佛光山最能體會人心的地方。所有這些空間之所以令人留戀，就因為它的底蘊是在奉獻與行善。

第三，這裡的「人間感」細膩

我一直記得星雲大師對「人間佛教」的解釋：「佛說的、人要的、淨化的、美善的；凡是有助於幸福人生增進的教法，都是人間佛教。」這樣平易近人的說法，在館裡的「八塔」，看到了具體的實現。

八塔中每一座塔的二到七樓，是珍藏佛教文物的天宮，這是「佛說」的象徵；而每一座塔的一樓，有年輕朋友活動集會的場所，有專屬青少年的設施，有公益基金的社會服務，有接待參訪者喝茶、提供服務的客堂……這都是「人要」的細膩規畫。

這三種時間感、空間感、人間感，融合了歷史與宗教、信仰與文化、生活與實踐，竟然能奇妙地和諧地匯聚在佛陀紀念館的「實體感」上。

矗立在南台灣的佛陀紀念館，是佛光山的新氣象，更是星雲大師盡一生心力所構造的心靈新地標——啟導世人追求慈悲智慧。

二〇一一．十．十八

慈悲的思路・兩岸的出路

——共建民主品質・人民幸福・兩岸雙贏

在「痛定思痛」的年代，星雲大師慈悲包容的思路，透過趙無任深刻生動的文筆，指引出了一條穿越「民粹死巷」，走向民主提升，人民幸福，兩岸雙贏的出路。

（一）出現了另一位「參選人」

二〇一五年六月三十日，我在《人間福報》第一次讀到趙無任的文章，就被其標題及論點吸引：「選舉大樓的成功與倒閉」。

文章中寫著：「建樓的人，在那裡默默的為社會、為經濟、為大眾打拚，他們都沒有聲音；但拆樓的人，他們的聲音響亮，在那裡吼叫、呼喚、機械嘈雜、樓倒頂塌，實在亂七八糟。」「這個世間上總要有人出頭，就像一個大樓有個頂，總要有人登頂……你為什麼不助成大樓的興建呢？……高樓倒了，對你有什麼好處呢？正值選舉的時候，希望蔡英文、洪秀柱會倒閉的人，你們可以思之思之。」

沒想到七月一日又讀到第二篇：「讓台灣兩黨有十萬個總統候選人」；七月二日又讀到第三篇：「兩位女性競選總統是台灣的榮耀」。這樣的連載就立刻引起了大家高度的關注。見了面問：「誰是趙無任？」猜測的範圍很快就集中在星雲大師身邊的大弟子及他自己。如果是他自己，在他全年無休每天工作不停中，哪有時間與腦力，寫出一篇又一篇，一千多字到三千字的文章，三個月來沒有間斷；內容上所環繞「選舉」的角度是那麼多元，引證的典故是那麼豐富，敘述的方式是那麼貼近現實，傳達的訊息是那麼地令人動容。

因此，有人說：「趙無任」變成了這次總統大選中另一位「參選人」

——參加選舉理性討論，提升選舉品質的「無名氏」。大家不知道他在哪裡，但他的評論已經不斷地擴散、流傳、轉載、討論；他一夕之間變成了可以影響選民的「無形力量」。更有人說：「趙無任要出來競選，我投他一票。」

當友人問起「誰是趙無任？」時，我說：「他憂慮台灣民主的沉淪、兩岸合作交流的變數、中華民族的前景；他的看法實在是代表了絕大多數沉默者的心聲。」

（二）謎底揭曉

謎底終於揭曉。九月五日星期六晚上，佛光山上舉辦一場論壇，題目是：「趙無任的啟示」。受邀的有：台灣與大陸學者各一，《人間福報》社長及我自己，主持人是王力行。九時正就在討論結束那一刻，大師突然出現在現場，千餘位現場聽眾及弟子站起來，在驚喜中報以熱烈的掌聲，久久不停。他剛從大陸演講回來，從桃園機場趕回佛光山，他向大家說的

第一句話是：「趙無任就是我。」又是熱烈的掌聲。原來兩個多月來，每天讀到「台灣選舉系列評論」的趙無任，真的就是星雲大師自己。那一天發表的文章題目是：「什麼資格才能成為『台灣人』？」

當他出現在眼前時，我們看到了一位年近九十，永不放棄的長者，聽到了有些微弱，但堅定的聲音，想到了人間佛教在他六十年耕耘下的影響力，又達到另一個高峰。

取名趙無任，大師的想法是：「趙」為百家姓之一，代表的是「大家」，「無」是「無我」，「任」是「責任」，合起來是「一個無私、有責任感的老百姓」。這真是一個平民非常平實的自我要求。

次日清晨，很難得幾位友人去到大師寫一筆字的房間。此刻大師已在長長的書桌上，寫了幾幅字：「佛」與「禪」；每個字是那麼厚重挺立。突然間我想到：「大師如果你題『趙無任』，將來出書時，會是一段佳話。」他果然微笑點頭，當場書寫了「趙無任」三個字，並題上星雲。那是歷史性相遇的一刻：「趙無任」出現在大師的一筆字書法中；趙無任的憂慮化解在星雲大師的慈悲之中。時間是二〇一五年九月六日上午八點三十四分。

（三）有思路，就有出路

十月上旬，天下文化與《人間福報》把趙無任七十篇文章，編輯成書，書名是《慈悲思路・兩岸出路》；大師一筆字書法的「趙無任」會首次出現在這本重要著作中。

「趙無任」不再是個「謎」，筆名給了大師更多發揮的空間；「台灣選舉」在趙無任的筆下，不應當再是個死結。大家認真地細讀這本書，台灣的民主品質與社會和諧就會有轉機。

這本著作的論點是跨黨派，跨族群，跨世代，跨宗教。凡是對台灣選舉、兩岸交流及社會長期發展有利的觀念，大師都提了出來，供大家一起來思考和討論。

尤其在選舉前夕，這不是一本「政治正確」之書，這是一本「慈悲思路」之書。

如果因為這本書的說服力，產生了良性的反省及改革的力量，那麼對民主失去信心的台灣選民，也許在這次選舉落幕後，會漸漸地發現：府會關係在逐漸改善；媒體及民代減少了起鬨及作秀，評論時出現理性的平衡；「利益團體」不會明目張膽的利益勾結；爭取人權與自己利益的同時，不會傷害沉默大眾的利益；除了照顧低所得及弱勢團體外，「有能力的人多付稅」，變成了一種可能。這是一條台灣民主應當要走的康莊大道。

很多人相信：有佛法，就有辦法；很多人也相信：有思路，就有出路。這真是我們出版這本著作的願望。

二〇一五・十

二〇一六・五・二十七　修訂

大師的懸念

年近九十，看見過中國從貧窮與戰亂中脫胎換骨，變成世界第二大經濟體；也走過台灣從光復初期的百廢待舉到受到國際讚譽的「經濟奇蹟」；自己更走過這塊土地上的每一個角落。無法忘記初到台灣身無分文，難以立足的艱困歲月。

如今來台六十七年，佛光山成立五十年後，大師開創的人間佛教，已輝煌地屹立於高雄的佛光山上，向華人社會及世界各地放射出慈悲與智慧的光芒。每年近一千萬人來佛陀紀念館以虔敬之心參訪。

最令大師憂心的竟然不全是人間佛教的發展，而是民主政治與言論自由潮流中所出現的惡質選舉、政黨鬥爭、兩岸關係糾結、統獨爭議的挑撥、本土化的變質、世界大同的虛幻……

大師居然能在繁忙之中，從二〇一五年六月三十日開始，連續寫了七十餘篇文章，解析有關即將來臨的總統大選的各個層面以及各個角度。

大師超越了「政治正確」，寫出了大家想說又不敢說的真心話，更想到了大家沒想到的「希望」與「死角」。

二〇一五年三月，大師在博鰲亞洲論壇主題演講中指出：佛教在現在社會中可以做出四個貢獻：

（1）人我和諧，不對立。
（2）同中存異，不異中求同。
（3）中道緣起，相互尊重。
（4）和平共存，不要戰爭。

兩岸關係一直是大師最掛念的問題。他指出：「我們一定要彼此對立才稱心愜意嗎？假如摒除統獨問題，大家互相尊重，互相提攜，互相友愛，互相往來，和平共存，這不但是時代的進步，也是中華文化的成長啊！」

千言萬語，星雲在不同場合沉痛地說過：「假如沒有中華民國，一切都成了泡影。」

不要讓星雲之憂，變成無解之痛。

第四部

吾「道」不孤

在星雲價值體系中，

大師十分重視奉獻、品格、文明、和平等理念。

這也是我傳播現代進步觀念的核心思維。

選擇與此相關的四篇文章，

做為擴散大師「吾道不孤」的實例。

奉獻：錢煦院士的「學習、奉獻、創造」

（一）「最高的典範」

（1）他舉世聞名的學術成就與奉獻社會的熱誠，是最高的典範。他精彩的一生，更是年輕人學習的好榜樣。

（2）謙沖和藹的醫界泰斗與學術領袖，是他的最佳寫照。他是我學習的楷模典範。

（3）領導頂尖醫學科學團隊鑽研醫學生理，成就非凡。除獲得我國壹等衛生獎章及總統科學獎外，更囊括美國五大科學與藝術大獎；醫界完人，非他莫屬。

（4）他令人敬佩的人生哲學與學術成就，是立志於專業研究的年輕學者的典範。

上述四個評語分別來自李遠哲院士、副總統陳建仁、監察院長張博雅及台大楊泮池校長。他們所稱讚的科學家，就是這本《學習、奉獻、創造：錢煦回憶錄》的作者：錢煦院士。

（二）錢家三傑

天下文化能有這個難得機會，出版錢院士親撰的回憶錄，是來自三十年前《遠見》創刊時的一段緣分。擔任創刊總編輯的王力行，專程飛到哥倫比亞大學訪問錢煦教授，再飛到華府訪問駐美代表錢復，之後於台北訪問財政部長錢純。這篇華府、紐約、台北錢氏三兄弟的專訪，立刻引起國內外媒體的重視。王力行指出：「家學淵源也許是他們比大多數人占優勢的地方；但是後天的勤學、自律、責任感更是他們變成頂尖人物的重要因素。」

錢家三兄弟都自台大畢業，都留美而學有專長。他們在工作經歷中，都曾創下紀錄：錢純曾是最年輕的中央銀行副總裁，錢復曾是最年輕的新聞局長，錢煦是唯一與父親同榜的中央研究院院士。

傳播媒體在介紹他們時，常用「家世顯赫」來形容，因為他們的父親錢思亮擔任過十九年台大校長和十三年中央研究院院長；母親張婉度是前經濟部長張茲闓的妹妹。

熟識三兄弟的人都清楚，故錢院長謙恭內斂、待人誠懇、公私分明、正直愛國的身教，影響他們一生。

三兄弟中，錢煦從小最得母親喜愛；功課最好，經常跳級，十六歲就進了北京大學醫學院。一九四九年來台，二十二歲在台大醫學院畢業。二十六歲獲哥倫比亞大學博士。四十五歲當選中研院院士時，「父子同登國家最高學術榮榜」創紀錄，也傳為美談。

錢院士在哥大讀完博士，結婚後曾有一年住在胡適之先生紐約市西八十一街家中。他在回憶錄中說：「胡公公是中國近代最傑出的哲學家和教育家，學問淵廣，博古通今……從他那裡學到許多為人處事的原則。……我真是非常幸運，能夠從三位我最敬佩的長輩（父親、傅（斯年）校長和胡公公），受到直接教誨，這對我一生的思想行為有極大的影響。」。

適之先生一生提倡寫傳記，如果今天能讀到這位在揚子江邊度過童年，當年他疼愛的後輩，自己寫出這麼豐盛的自傳，他會高興地說：「真是長江後浪推前浪。」

（三）英文紀念本到中文傳記

錢院士分別在七十歲及八十歲生日時出版了師友撰述的英文紀念本。這本十二萬字、由錢院士親撰的中文自傳，終於在他八十五歲的四月在台北聞世。這真是華人世界的空前盛事。作者在書中指出：「要能把所學的知識和能力運用到不同的情況，超越時間和空間的限制，與人類分享共用。」

海內外的華文讀者，透過這本自傳可以研讀：為什麼錢院士能成為一位世界級的科學家？

全書分三部十二章，按時間順序：第一部「家世恩情」、第二部「學習、研究、教育和創業」、第三部「學術研究團體的活動與服務」，再以「回顧與前瞻」做結語。全書條理清晰，故事動人，學術成就令人仰望，並附有院士大事紀及李小媛博士的「後記」。

特別要學習及重視錢院士學術成就的讀者，應當細讀第二部及第三部，就能理解為什麼他是一位跨醫學領域與跨中國文化的大科學家。

從書中，讀者不得不驚訝錢院士擁有的驚人執行力、說服力及整合力。他可以面對同樣重要的研究工作，有效率而又細密周全地主持國內外的重大研究計畫，參加重要的學術會議，出席不斷湧來的榮譽盛典，以及指導研究生發表論文，擔任主題演講，並且兼顧到美滿的家庭生活。

二〇一五年十一月，為了支持前交大校長吳妍華教授主導在台灣的一項國際研究計畫（由交大、陽明、北榮和聖地牙哥的合作）：運用生醫工程解決台灣重要健康問題。他清晨飛抵台北，當天再飛回美國西岸。在台北十二小時停留，協助參加三小時面試，審查順利通過。回想起來，「當天往返很值得。」

（四）以「七心」為核心

錢院士是一位鍥而不捨地在鼓舞年輕一代的科學家。在中外各地演講，分享他的人生體驗時，常以七個「C」字為要點：

1. Compassion
熱愛：「全心」熱愛。

2. Commitment
投入：「決心」投入。

3. Comprehension
理解：「用心」理解。

4. Creativity
創新：「精心」創新。

5. Cooperation
合作：「同心」合作。

6. Communication
溝通：「推心」溝通。

7. Consummation（Completion）
完成：「盡心」完成。

錢院士無私地、語重心長地告訴大家：「一切事都是由『心』出發，我們用『心』來待人處事，一定會成功。」因此「七C」之中全有「心」字。

在最後一章，錢院士感性地總結：「我特別要感謝匡政（夫人）給我六十多年來的恩愛照顧……也要感謝師長們的盡心教導，同事們的推心合作，同學們的用心努力，親朋們的衷心愛護。」

當做人做事與誠心和專心結合時，就有機會產生像錢院士一樣輝煌的人生。

二〇一六．五

品格：布魯克斯（David Brooks）新著

（一）面對兩條路

近年來閱讀《紐約時報》，我最喜歡的專欄作家，是比較保守派（Conservative）論點的布魯克斯（David Brooks）與另一位比較自由派（Liberal）論點的佛里曼（Thomas Friedman）。所謂「保守」與「自由」（有時被稱右派與左派），是泛指市場、政府與個人在社會中的角色。布魯克斯在芝加哥大學讀歷史與經濟，文章散見於美國重要的人文與社會思潮的雜誌，即使不同意他的觀點，他的才思，一直受到很多人推崇。

這本新著在告訴讀者：（1）讓我們不要「虛度此生」，就從展開

「自我對抗」的那一刻起。（2）人生有兩大追求，一是「履歷成績」，如事業、財富；二是「悼文成績」，在親人好友心中，你到底是怎麼樣的一個人。（3）「履歷」要你以成就征服世界，「悼文」是以你的美德感動別人。（4）在人生道路上，必須不斷問自己：追求成功之際，我該如何回應內心抉擇，無愧於人生？

十餘年來，我也寫過類似的話：人生有兩本帳，私人小帳與社會大帳。人不能只有私人帳上財富累積，社會帳上則出現赤字。這就是小我與大我的平衡。

我也對企業家說：你們要攀登兩座大山：前山是「利潤」之山；後者是「責任」之山。成功的登山者，在選擇上有先後，但最後的目標是要在後山山巔，向大家大聲宣布：我到達了責任之峰。

（二）西方品格之路

布魯克斯引述猶太牧師在《孤獨的信仰之人》一書中區分人類有兩種人性中極端的本質：

亞當一號：成功是座右銘，追求「履歷表」的輝煌。

亞當二號：道德、慈善、關愛、救贖為主，令人懷念的「追悼文」自然會出現。

作者是在鼓吹亞當二號，人生應當要追求謙遜（Humility）。最後一章中歸納了十五項對謙遜的論述，為全書的精華，總結了發展高尚品格的方法。歸納來說：人首先要放棄「以我為先」（Big Me）。人不只是追求享樂，還要追求使命。人生的本質是道德，非享樂。人的本身有眾多缺陷，如：過度自信、對失敗合理化、所知不多、向慾望低頭等。

人即使有缺陷，但也有反省能力，也能辨識罪惡與羞愧，最後戰勝它；過程中常需外在力量：包括親友、傳統、制度、典範。對付缺陷，謙遜是最大美德。

一旦生活需求滿足，追求美德與對抗罪惡，就成為人生的主軸。人格（Character）在內心對抗過程中形成。人格者擁有穩定的承諾。

戰勝缺陷與罪惡的人，會變得成熟（Mature）。唯有比昨日之我更好，才會成熟。成熟之人會向許多事情說「不」；而且不再迷惑，有原則、有堅持。

在當前充滿競爭的高科技世界中，能找到事業成功、品格高尚兼具的企業家嗎？大家都會想到美國的比爾•蓋茲，不僅有「履歷表」的輝煌，日後更會有令人尊敬的「追悼文」。台灣的台達電創辦人鄭崇華，是我立刻想到的另一個典範。

（三）超越國界的準則

自中世紀以來，在西方的宗教與文化中，出現了不同的名稱來描述人的氣質與行為：聖徒人格、紳士人格、騎士人格、靈修人格、浪人人格、牛仔人格……在我國悠久的歷史文化中，人格、品格、風格、美德、道德……就是學習如何做人做事的規範。

不論是選擇中國式或美國式孕育品格之路，這兩條路不是反方向，也不是單行道；它們都會在「品格」那一站交集。

「品格」超越國界，同時也超越時間。不論身在何處，「品格」在全球化中，是一個永不貶值的資產。

二〇一六・四
二〇一六・五・二十七修訂

文明：沙克斯（Jeffrey D. Sachs）的《文明的代價》

我歡喜付稅，因為稅金可以購買文明。

——美國大法官霍姆斯（O. W. Holmes, Jr.）

（一）「文明的代價」

近年來「文明」的課題受到普遍的重視，哈佛大學歷史學者弗格森（Niall Ferguson）的《文明》一書（聯經，二〇一二）享譽士林。他提出了西方文明為什麼能統馭世界的重要解釋。另一位哥倫比亞大學的經濟學者沙克斯（Jeffrey Sachs）所寫的《文明的代價》（*The Price of Civilization*），則以「混合型經濟」為討論主軸，分析構建一個文明社會所需要做的各種努力（天下文化，二〇一三年九月底出版）。

我們所嚮往的「文明社會」是泛指匯聚的社群，擁有高度文化水準及科技發展，同時擁有多元創新的制度，相互包容尊重的生活方式，以及共同致力於永續發展。要構建及維繫這種「文明」，社會就要付出「代價」（price）。

這個「代價」包括兩方面：一是具體數字的成本面（如擁有一流大學、博物館、實驗室），要花很多錢，這就是為「文明」所負擔的支出、費用及納稅；另一方面是難以數字化表現，如具有文明素養的公民，應會參與公眾事務，應會樂意分享財富，應會有公平正義的同理心等等。這些均需要時間、愛心及參與的投入，可以無形的「代價」來概括。

正因為「文明」是大家值得提升與維護的普世價值，「代價」自應由社會上每一份子來共同承擔。

（二）我們的努力

半世紀前我大學畢業時，月薪八百元台幣，每人所得不到一百美元。

所幸五十年前台灣經濟開始起飛，也早已跳出當年的貧窮與落後；但距離像美國這樣的文明社會，尤其與它優秀面來比，台灣要加快努力：

（1）學習美國，增加一流大學、研究機構、實驗室、科技中心，跨國企業，以及提升藝術、音樂、體育等文化領域接近國際水平。

（2）學習美國社會無處不在的開放、多元、民主、法治、容忍、透明等的傳統，以及他們對這些軟實力的珍惜，特別注重對全球人才的吸引。

（3）學習美國富豪巨額捐獻，民眾參與社區公益活動，人民平均稅率約百分之二十五（台灣則不到百分之十三），公共知識份子所扮演的反省角色，以及年輕人仍然擁有冒險的創業精神。

（三）走開放大門

要落實上面所指出的三項努力，我們必須先走「開放」的大門。「保護主義」是「開放」的死敵。不少人總以為保護國內低效率、低生產力的產業是件天經地義的事，殊不知正因為如此，這些低效率的產業只能付低工資，賺小錢，也就根本沒有資金以及能力開發新產品、新市場。年復一年地把我們的資源用在缺少競爭力的生產上。「開放」就是透過市場的競爭機制，決定成敗；經不起考驗的自然就淘汰，正因為有淘汰，產業主不得不拚命努力，有生命力的新產業也可以興起；僱用的工資也就可以上升。如果因為開放而受到淘汰的產業，政府自也可以考慮短期的救濟及轉業的訓練；但千萬不能因此而不敢開放，尤其不能鎖國。當台灣對外面世界愈來愈開放時，我們就愈容易吸引到全球的人才、資金、科技與資訊。

台灣要變成高度文明社會，還有漫長的路，此刻已顯得疲憊。唯有果斷地走上「開放」之路，才能提供新願景與新動力；在這一時刻，如果立法院還不能順利通過「兩岸服務貿易協定」，那就免談「開放」，更不要奢談「文明社會」了。

二〇一三・九

二〇一六・五・二十七　修訂

和平：馬英九和習近平雙手緊握的是「和平」

（一）一「握」泯恩仇

馬英九與習近平在全球六百多位中外媒體前，首次見面熱烈握手。這是一九四五年國民黨蔣介石與共產黨毛澤東見面後的第一次兩岸領導人會面，時間是二〇一五年十一月七日下午三點，地點是新加坡香格里拉酒店三樓。

此一歷史性鏡頭，折射出的是國共兩黨經過長達超過半世紀的鬥爭、戰爭；對峙、對立；終於跨越了「互相排斥、互不信任」的最後一里，出現了一「握」泯恩仇。鄧小平地下有知，也會興奮地說：「國際場合，國內場合，只有能解決問題的就是好場合。」在電視機前，我想到中國大陸的戰亂，台灣被日本占領，與兩岸人民半世紀以來從貧窮中的奮起，在激動的淚光中：

- 看到八十一秒的握手、揮手、微笑、側身。
- 聽到「和平鐘」的響聲已傳遍全球。
- 見到「兩岸橋」已搭建啟用。
- 想到「中國人打中國人」的夢魘漸漸消失。

我們的資深特派員楊永妙在現場，三點整拍下馬習兩位的握手及揮手的影片。三點零二分傳送回台北總部，《遠見》Facebook 於三點十二分上傳「馬習會」現場「世紀之握」影音，創下台灣最優先從新加坡回傳現場影像的平面媒體。

《遠見》在現場 15:00 整拍下馬習兩位的握手及揮手的影片。15:02 傳送回台北總部，《遠見》Facebook 於 15:12 上傳「馬習會」現場「世紀之握」影音。

攝影／遠見攝影記者張智傑

（二）「馬習會」就是「和平會」

為什麼「馬習會」那麼重要？答案只有一個：因為「和平」的重要。為什麼「和平」重要？因為另一個選擇：戰爭，是人人唾棄的。

馬習會後，馬總統在美國大報《今日美國》（*USA Today*）發表專文，告訴西方讀者：「會面只有一個目的：鞏固台海前所未見的和平與繁榮。」「雙方領導人已經確認，只有和平才能為雙贏目標鋪路。」我從來沒有這樣盼望：國家領導人的公開講話一定要算數。

我是在中日抗戰及國共內戰中長大。自己經歷了二十世紀上半世紀的全面戰亂。中日抗戰中千萬軍民死傷；後半世紀的大陸與台灣軍事對峙；幸有台灣海峽的阻隔，避免了台灣島上發生打仗的悲劇。

回顧百年中國，有國家命運的顛簸起伏，有社會結構的解體與重建，有經濟的停滯與起飛，更有人間的悲歡與離合。

百年來我們中國人的歷史，徘徊在絕望與希望之中，毀滅與重生之中，失敗與癒傷之中，鎖國與開放之中。

自己出生於南京，十三歲到台灣，二十三歲去美國讀書。從一九五九年秋天到達美國那一刻起，脫離了戰亂的陰影。眼前第一次看到了真正安定、自由、奮鬥、創造富裕的現代社會。上天太寬待了這個東方年輕人，那天堂般的歲月中，在校園讀書、教書；在大學城成家、立業。

從此，我最大的嚮往就是「和平」，最強烈的反對就是「戰爭」。午夜夢迴想到的是：哪一天大陸與台灣能像美國社會一樣？

在英文字彙中，最使我著迷的是：

Peace-maker
和平使者

Peace treaty
和平條約

Peace dividend
和平紅利

百年前設立的諾貝爾獎真有遠見：只有「和平獎」，沒有「勝利獎」。

「和平」在我思維中生根，血液中奔騰，變成了我最要推動的進步觀念。用經濟學上機會成本的觀念，「戰爭」更是最可怕的支出，最大的浪費。

沒有一個國家因為教育預算比例過高而財政破產；但歷史上窮兵黷武，軍費過高，拖垮經濟，終致政權崩潰的例子不少。

艾森豪這位二戰的英雄，在美國總統卸任前沉痛地指出：

「每一支造好的槍、每一艘下水的戰艦、每一枚發射的火箭，最後說來，都相當於對那些飢餓無糧者和寒冷無衣者的偷竊。窮兵黷武的世界，不僅只是消耗了錢財，也消耗了勞動者的汗水、科學家的才智，以及下一代的希望……，這絕不是我們應有的生活方式。」

艾森豪應當得諾貝爾和平獎。

（三）「和平紅利」創造者：馬英九總統

「在兩岸關係上，要一年補八年。」這是馬總統剛接任時的談話。沒有馬總統接任後立即果斷地推動兩岸互動（包括直航），就不會有大陸領導人近年善意的宣示：海峽兩岸中國人有責任共同終結兩岸敵對歷史，竭力避免出現骨肉同胞兵戎相見，讓後代子孫在和平環境中攜手創造美好生活。

馬總統也一再呼籲：兩岸和平是為台灣提供了「創造嶄新情勢，分享和平紅利」的新機會。雙方的善意，終於開啟了兩岸和平的契機。

冷戰時期人民所渴望的「和平紅利」是泛指：一旦戰爭結束，就可以用削減的軍費來從事百廢待舉的各種建設。這個傳統的定義，在今天的兩岸關係出現了可喜的延伸及擴大的場景。

當前台灣隨著戰爭威脅減少及兩岸互信增加，「和平紅利」已經創造了更深遠的良性效果，台灣變成了：（1）兩千三百萬人民安身立命的地方（2）回國定居及短期旅遊的優先選擇（3）跨國企業投資的海外據點（4）國際聯結的重要一環（5）建交友邦的數目不再受減少的威脅。

馬總統近八年來影響深遠的政績，就是兩岸獲得了前所未有的、多層面的互動：包括制度化的協商、經貿、文化、教育、金融、科技、醫療、觀光等領域的拓展。

馬總統在二〇一二年提出「東海和平倡議」；二〇一五年提出「南海和平倡議」，立即獲得了國際上普遍的肯定，也完成了馬總統卸任前的區域戰略拼圖；並稱讚他的「活路外交」，並認同他是「負責任的利益關係者」、「人道援助提供者」。我國免簽證的友邦數目，因此而躍升至一百五十八個。

面對本土台獨及媚日勢力，大陸「促統」、「一中」的壓力，美國的「指導棋」，馬總統能在維護國家尊嚴及台海和平之下，屢屢獲得兩岸及國際突破，實屬不易。

《遠見》雜誌於二〇一五年十月二十八日「華人領袖遠見高峰會」上，贈與「和平貢獻獎」，是肯定馬總統為台灣開創了政府的施展空間、調整了政策優先次序，擴大了民間與世界接軌。

當馬英九當選第一任總統時，民眾相信馬英九的人品、操守、與權力節制。大家沒有認清：民主政治有它內在的衰敗機制。不給別人紅蘿蔔，不用棍子制服對手，一己之「正派」敵不過四周之「黨（擋）派」，政策之「美意」勝不過民意代表及利益團體串連之「生意」。在意識型態及各種勢力相互糾纏利用掩護下，馬政府施政陷入困境，幸有最重要的政績——「和平紅利」的出現。

馬總統在最棘手的兩岸問題上，選擇了一條正確的道路——兩岸和平。歷史會記載：馬英九總統（二〇〇八—二〇一六），是百年來構建和平、開拓紅利、已見實效的政治領袖。

（四）大陸是台灣經濟的墊腳石

二〇〇八年五月馬英九接任總統以來，兩岸關係在「九二共識，一中各表」的默契下，台海烽火進入前所未有風平浪靜。但是從經濟發展的策略來看，兩岸融合的廣度與速度，厚度與力度，在台獨意識或明或暗地牽制及反對下，仍是遠遠不足的；這就造成了國民黨執政時代領導人沒有膽識，搭上一九八〇年代以後大陸這班快速的成長列車；這就阻擋了台灣經濟的脫胎換骨。昨日決策之延誤，造成了今日台灣經濟之困局。

討論總統候選人的兩岸政策，當然是總統大選中嚴肅的政策問題；一旦處理不當，就會產生台灣的不安和兩岸關係的惡化。解決兩岸政治僵局的重要目的，除了和平大業，還是要理順兩岸經貿、教育、文化、科技、環保等領域的共同發展與整合，其中值得討論的一個主題是：「台灣經濟」如何面對「大陸市場」？我的看法：要把大陸市場看成墊腳石，不是絆腳石。

（五）隨著大陸經濟水漲船高

近十年來受《遠見》雜誌邀請來台訪問過的諾貝爾獎經濟得主及美國

著名學者，論及兩岸關係時（特別是經貿投資這一領域）看法都是一致的：「台灣要設法與身邊這個龐大的經濟體，發展良好的互動關係。」這些人物包括了大家熟悉的五位哈佛大學教授：波特、桑默斯、傅高義、奈伊，以及二〇一五年七月上旬來演講過的歷史學者柯偉林（W.C. Kirby）。這位能說流利中文的學者，熱情地勉勵我們年輕人：「不要恐懼大陸的興起，你們應當要有完全的自信，與他們接觸、認識、交流。」與大陸社會相比，柯偉林教授對台灣充滿了稱讚及期許。

就台灣長期經濟發展而言，對大陸市場是「三不」：（1）不能輕視（2）不可放棄（3）不易取代。試引證兩組數字：在最近五年（二〇一〇—二〇一四），台灣對中國大陸出超每年都超過七百億美元，五年出超總額高達三千八百億美元。大陸來台觀光旅客在二〇一四年已達三百九十八萬七千人，占來台總旅客百分之四十，排名第一。

誰都知道「市場分散」、「不要把雞蛋放在一個籃子裡」的道理，可惜「說容易，做不易」。看看韓國與大陸簽的貿易協定，就使台灣產業坐立不安。大陸推出「一帶一路」及「亞投行」，所展現的企圖心及戰略布局，台灣只有一項選擇，就是要盡力儘快加入。「馬習會」中，習近平更明確表示：「我們願意與台灣同胞分享大陸發展機遇，兩岸可以加強宏觀政策互通，發揮各自優勢，拓展經濟合作空間，做大共同利益蛋糕，增強兩岸同胞的受益面和獲得感。」習近平在「馬習會」中表示歡迎台灣同胞參與一帶一路建設，並以適當方式加入亞投行。

曾經是國民黨總統參選人洪秀柱表示過，兩岸問題是台灣未來的「重中之重」。面對大陸免驚，「我們可以站在他們的肩膀上乘勢而起，他們水漲，我們船高。」但必須指出：唯有我們領導人有意願，能與對方構建互信與合作，所漲之水，不會船淹，而會船高。

政治家要以人民福祉為重，選擇走對的路，為下一代開闢大舞台；政客不能再在恐懼與猶豫中，錯失良機，陷後代子孫於困頓之中。

二〇一六年一月總統大選，再提供了一次民意表達的機會，且看台灣人民在危機中的選擇。

（六）二〇一四世界GDP排名的訊息

根據IMF及相關經濟體提供資料，從表一中，可以看清當前各國經濟實力。

在四十個經濟體中，除中國（灰色字體）之外，還有十四個屬於中國的。其中有十一個省，兩個市（上海及北京），及一個特區（香港）。在十一個省中，如以廣東、江蘇、山東來比較，每一省之GDP居然相當排名十五的墨西哥，亦即高於十六名以後任何經濟體。

（1）中華民國（台灣）排名二十六，大陸有五個省，其中每一個省（如廣東、江蘇）的GDP均超越台灣。

（2）廣東與浙江二省的GDP相當於俄羅斯。

（3）廣東、江蘇、山東三省GDP的總和全球排名第五，略高於英國或法國。

（4）上海市相當於排名三十一的哥倫比亞，其GDP居然高於泰國、馬來西亞、新加坡、菲律賓等任何一國。

（5）中國GDP總值高於東協十國加上日、韓、印度等國GDP的總和。

表一　2014 世界 GDP 排名（億美元）

排名	經濟體	GDP（億美元）
1	美國	174189.25
2	中國	103605.7
3	日本	46163.35
4	德國	38595.47
5	英國	29451.46
6	法國	28468.89
7	巴西	23530.25
8	義大利	21479.52
9	印度	20495.01
10	俄羅斯	18574.61
11	加拿大	17887.17
12	澳洲	14441.89
13	韓國	14169.49
14	西班牙	14068.55
15	墨西哥	12827.25
	廣東省	11036.05
	江蘇省	10595.87
	山東省	9674.19
16	印度尼西亞＊	8886.48
17	荷蘭	8663.54
18	土耳其	8061.08
19	沙烏地阿拉伯	7524.59
20	瑞士	7120.5
	浙江省	6536.68
21	奈及利亞	5736.52
22	瑞典	5701.37
	河南省	5687.86
23	波蘭	5466.44
24	阿根廷	5401.64
25	比利時	5346.72
26	中華民國台灣	5295.5
27	挪威	5002.44
	河北省	4789.53
	遼寧省	4660.18
	四川省	4645.55
	湖北省	4455.14
	湖南省	4403.28
28	奧地利	4371.23
29	伊朗	4041.32
30	阿聯	4016.47
	福建省	3916.1
31	哥倫比亞	3849.01
	上海市	3835.54
32	泰國＊	3738.04
33	南非	3500.82
	北京市	3472.49
34	丹麥	3408.06
35	馬來西亞＊	3269.33
36	新加坡＊	3080.51
37	以色列	3037.71
	香港	2896.28
38	埃及	2864.35
39	菲律賓＊	2849.27
40	芬蘭	2711.65

資料來源：國際貨幣基金組織、中華人民共和國國家統計局。

註 1：世界 GDP 總和為 773019.58 億美元；歐盟 GDP 總額為 184953.49 億美元。

註 2：中國 GDP 總值超過 158 個國家 GDP 總和，亦高於東協十國（＊）再加上日、韓、印度等國 GDP 總和。

對台灣而言，大陸這樣龐大的市場與商機，兩岸關係好就會水漲船高；否則就可能水高船淹。

正如馬先生在閉門會談中告訴習先生：七年多來兩岸簽訂了二十三項協議，創造了四萬多學生交流，每年八百萬旅客往來與一千七百多億美元貿易的榮景。這些重大改變的基礎都在於「和平」。

需要一提的是：一九九〇年代中期在台灣還出現大陸經濟「崩潰論」與「成長論」的辯論。李前總統是悲觀的前者，他的日本好友大前研一是樂觀的後者。後來兩人漸行漸遠，「戒急用忍」證明其錯誤。

大陸經濟今後要轉為「新常態」（百分之七左右），過去的高速成長（百分之八以上），以後是「做不到、受不了、沒必要」。《經濟學人》指出：「全球大老闆們要調適放慢的中國經濟。」

當前雖然台灣經濟陷入困境，但仍有老本與蓄勢待發的民間生命力（活力加上財力）。剛出版的英國《經濟學人》「二〇一六世界預測」專刊中，台灣的人均所得為21,680美元，但經過國際評價指數（ＰＰＰ）折算，就高達45,640美元，全球排名十四。調整後的台灣個人所得比加、英、法、日、韓等國都高（見表二）。大陸排名五十二，人均ＰＰＰ為15,440美元。

表二　2016 世界每人購買力排名，台灣 14

排名	經濟體	人均PPP(美元)	人均GDP(美元)
1	新加坡	86,550	54,000
2	挪威	66,860	80,810
3	瑞士	59,910	85,210
4	香港	57,800	43,220
5	美國	57,620	57,620
6	沙烏地阿拉伯	55,340	23,960
7	愛爾蘭	52,990	48,160
8	荷蘭	50,130	42,870
9	德國	48,060	39,640
10	瑞典	47,860	50,320
11	奧地利	47,650	42,360
12	丹麥	46,620	51,080
13	澳洲	46,210	53,910
14	**台灣**	45,640	21,680
15	加拿大	45,390	43,730
16	比利時	44,200	40,220
17	英國	41,500	44,580
18	法國	41,340	36,070
19	芬蘭	40,880	41,430
20	日本	38,260	32,800
21	紐西蘭	37,290	37,570
22	韓國	36,890	27,510
23	義大利	36,850	29,420
24	西班牙	36,590	25,300
25	以色列	34,500	37,550

資料來源：英國《經濟學人》專刊＜ The World in 2016 ＞，p.105-p.113

（七）沒有和平，五大皆空

自己研習經濟發展這個題目已經超過半世紀。如果現在要根據多年來的教學研究與各國觀察，總結這些年的心得，我認為中華民國發展的優先次序應當是：

（1）和平：沒有和平，一切落空。
（2）開放：沒有開放，一切空轉。
（3）經濟：沒有經濟，一切空談。
（4）教育：沒有教育，一切空白。
（5）文明：沒有文明，一切空洞。

環繞馬習會的核心談話，就是馬先生強調的：「海峽兩岸已大聲向全世界宣示鞏固台海和平的決心，以及促進區域和平訊息。」習先生指出的「……堅持九二共識，鞏固共同政治基礎，堅定走向兩岸和平發展道路，保持兩岸關係發展正確方向，深化兩岸交流合作，增進兩岸同胞福祉。」

沒有和平，台灣就變成「五大皆空」。

馬英九輸了國內政治鬥爭的戰場；卻贏了兩岸和平的歷史定位。

在十月二十八日《遠見》贈獎馬總統「和平貢獻獎」時，朗誦了十二行短詩：（馬總統參加馬習會回來後，接受《遠見》採訪時，寫下了六個字送贈：「《遠見》確有遠見」）

和平，兩岸一家

（一）大地

大地不屬於步兵
天空不屬於戰機
海洋不屬於兵艦

（二）平安

家人不再哭泣於墳場
平安超越了代代悲傷
團聚散佈在四面八方

（三）和平

不統、不獨、不武
存同、化異、包容
馬英九敲響和平鐘

（四）一家

戰爭沒有贏家
和平沒有輸家
兩岸變成一家＊

＊原文是「人類」變成一家，馬習會後做了修改

二〇一五・十二
二〇一六・五・二十七 修訂

附錄一

自述星雲之道

——摘自《人間佛教何處尋》

星雲大師

一、居家之道——倫理觀

家庭是每個人的生活重心，孝順則是人倫之始，是倫理道德實踐的根本，所以在家庭的人倫眷屬關係當中，佛教首重孝道的提倡。

對於老中青幼等份子，彼此之間要互相愛敬、慈孝、教育、規勸，因為家人之間是一種連鎖關係，父母子女等眷屬就像鎖鏈一樣的環環相扣，絕不可分割，人人盡其在我，相敬相愛，個個身心健全，融洽和諧，家庭才有歡笑，家庭倫理也必然和樂美滿。

二、修養之道——道德觀

道德，是人類社會應有的修養，人之所以異於禽獸，正是因為人有道德的觀念。因此，有道德的觀念和生活，社會才能和諧，家庭才能安樂，朋友才能守信，人我才能互助。

何謂道德？凡是舉心動念，對社會大眾有利益的，就是道德；反之，對別人有所侵犯，甚至危害到社會安全的，就是不道德。

佛教以五戒十善做為人本的道德標準，倡導「諸惡莫作，眾善奉行」，不侵犯別人的身體、錢財、名譽、尊嚴，徹底改造人心，令人倫綱常有序，導正社會善良的風氣。

三、資用之道——生活觀

佛教對於日常生活的資用之道，並沒有要求每一個信徒一定要苦修，當吃，要吃得飽；當穿，要穿得暖。只是，除了生活所需，在飲食服飾日用等各方面，不應該過分奢侈浪費。

人間佛教的生活觀，主張生活必須佛法化，也就是除了金錢、愛情以外，在生活裡還要增加一些慈悲、結緣、惜福、感恩的觀念，甚至於明理、忍辱的佛法，生活裡有了佛法，比擁有金錢、愛情更為充實。

四、情愛之道——感情觀

人因為有情愛牽絆，所以輪迴生死；人因為有情感，因此稱為「有情眾生」。佛教並不排斥感情，但卻主張以慈悲來運作感情，以理智來淨化感情，以禮法來規範感情，以般若來化導感情。

佛教鼓勵夫妻之間要相親相愛，親子之間要互敬互諒，朋友之間要相互惜緣，進而做到「無緣大慈，同體大悲」，亦即將一己的私愛，昇華為對一切眾生的慈悲。慈悲就是情愛的昇華，佛陀的弘法利生、示教利喜，就是愛；觀世音菩薩的大慈大悲、救苦救難，就是愛。

五、群我之道——社會觀

人際關係是現代人處世很重要的一環，許多人生活裡所以有憂苦煩惱，都是肇因於群我的人際關係不和諧。其實，人我之間的關係，都是靠緣分來維繫，善因得善果，惡緣召惡報。

人我彼此都是相關一體的，都是因緣的相互存在。人與人之間如果關係良好，相助相成，這是很大的福分；如果相嫉相斥，則痛苦不堪。人我之間，重要的是相互尊重、包容、諒解、幫助，如果有一方不能體諒另一方，則人我之間必然會發生問題。

六、立身之道——忠孝觀

談到忠孝，過去一般人總認為佛教出家遁世，逃避世間，對於忠孝之道無法克盡本分。其實佛教和儒家一樣，非常重視人倫關係、道德綱常，尤其注重忠孝的實踐。

忠和孝往往是相提並論的。忠是信仰，是追隨，是學習；孝是恭敬，是愛護，是孝養。所謂忠孝，都是由吾人內心所激發出來的一種感情、良知，一種愛心和美德。我們想要別人對我們以忠孝來往，就必須先為對方付出忠誠和孝養。

七、理財之道——財富觀

人生在世，必須有正當的事業，透過勤奮經營，使得衣食豐足，生活安定，然後才能從事種種的善事，此即所謂「衣食豐足，然後禮樂興」也。

佛教不但重視一時的財富，更重視永久的財富；不但重視現世的財富，更重視來生的財富。佛教不但重視狹義的金錢財富，尤其重視廣義之財，例如健康、智慧、人緣、能力、信用、口才、聲望、名譽、成就、歷史、人格、道德等。也就是說，佛教認為真正的財富，不一定是銀行裡的存款；人生唯有佛法，才是真正的財富。

八、擁有之道——福壽觀

如何培植福壽的因緣呢？依佛教的看法，福壽不是上天所賜，不是他人給予，而是自己的業力感得，所謂自作自受，自己的淨行善業能為自己帶來無盡的福壽，自己的劣行惡業也會斷絕福壽的因緣，糟蹋自己的幸福。

一切的福壽果報都離開不了心地的修持，心地純善，平時又能與人結緣，培植福壽的因緣，自然富貴隨身，長命百歲。存心險惡，雖然能夠左右逢源，享受一時的快樂，但是轉瞬間就變成災難禍殃。

九、醫療之道——保健觀

世間上最寶貴的不是金錢、名利，也不是權勢、地位，世間上最寶貴的是健康，有了健康，才能享受幸福的人生。因此一個人儘管事業有成，如果沒有健康的身體，一切都不是我的，所以平時要注重身心的保健，這是人生重要的課題。

世間的醫學對於疾病的療治，大多強調飲食、物理、化學、心理、環境、氣候、醫藥等療法，在有限的範圍內依病治療。佛教的醫學則不但含括世間的醫理，更重視內心貪瞋癡三毒的根除。所謂「心病還須心藥醫」，唯有調和生理與心理的健康，才能真正邁向健康之道。

十、結緣之道——慈悲觀

慈悲不是佛教徒的專利，慈悲是一切眾生共有的財富，人間因為有了慈悲，生命因此充滿了無限的意義；顛沛的人生歲月裡，因為有了慈悲，前途才有無限的憧憬。

一念的慈悲可以化除貪欲，一念的慈悲可以化除瞋恨，一念的慈悲可以化除驕慢，一念的慈悲可以化除怖畏。時時以布施、愛語、同事、利行的四攝法來行慈悲、實踐慈悲；唯有人人用慈悲的眼睛等視一切眾生，用慈悲的語言、慈悲的面容、慈悲的音聲、慈悲的心意來跟大眾結緣，我們的社會才能更和諧、更美好。

十一、緣起之道——因果觀

世間唯有因果才是最公平的仲裁者，在因果之前，人人平等，因果業報如影隨形，任誰也不能逃脫於「善有善報，惡有惡報」的因果定律之外。

因果是由萬法因緣所起的「因力」操縱，由諸法攝受所成之「因相」主使，有其超然獨立的特性。人可以改變天意，但不能改變天理，也就是不能改變因果；因分果分，是佛陀證悟之性海，為三際諸佛自知之法界，是不可妄加蠡測的。

因果通於過去、現在、未來三世，人的一生，一時種下的因，其產生的結果可能影響及於一世，甚至牽動生生世世的禍福安危，因此吾人豈能不慎於一時的言行舉止呢！為了我們的一世，甚至生生世世，我們凡事一定不能不注意「一時」的因果！

十二、信仰之道——宗教觀

人是宗教的動物，宗教如光明，人不能缺少光明；宗教如活水，人不能離開活水而生活。人類自有文明開始，除了追求物資生活的滿足以外，精神生活的提昇、信仰生活的追求，更是無日或缺。

信仰是人生終極的追求，信仰能使生命找到依靠。一個人不論信仰什麼宗教，都需要透過理智的抉擇，確認自己所信仰的教義是符合「真理」的條件，也就是必須具有普遍性、平等性、必然性、永恒性。宗教信仰可以激發勇氣與力量去面對未來，可以使我們有寬宏的心量去包容人間的不平，進而拓展出截然不同的命運。

十三、生死之道——生命觀

人生在世，一期的生命只有短短數十寒暑，有生必然就會有死，生死，這是人人都免不了的問題。信仰佛教，並非就沒有了生死問題，只是要人勘破生死！生死是再自然不過的事，即使是佛陀，也要「有緣佛出世，無緣佛入滅；來為眾生來，去為眾生去！」

佛教非常正視生死問題，佛教其實就是一門生死學，佛法教我們要認識生死，就是要我們改變過去因忌諱生死而避開不談的消極心理，進而透過佛法的修持，以正確的態度面對生死，處理生死，乃至解脫生死，如此才能真正擁有幸福的人生。

十四、進修之道——知識觀

讀書，能增加知識；讀書，能開啟智慧。讀書，尤其能提昇心性、健全人格、改變氣質。佛教尤其提倡「書香生活」，鼓勵佛弟子要閱藏讀經、聽經聞法。其實，佛教本來就是佛陀的教育，佛教的寺院就是修學辦道的修練所，因此古時有「選佛場」之稱，寺院也等於是學校。

在學習的過程中，要自動自發，自我學習。尤其佛教與一般哲學不同，佛教不只講知識、講理論、講道德，更重視實踐，重視修行。所謂「解行並重」，也就是不僅對佛法的知識義理要深思理解，尤其要將佛法運用到生活中，生活中有佛法才叫有修行。

十五、正命之道——育樂觀

人的生活，不光只是工作，也不能光是修行；一個人每天的生活作息，不能只是硬繃繃的行住坐臥、衣食住行；三餐溫飽之外，在精神生活方面還需要有育樂活動來調節。例如，參禪的人，在坐禪之後也要利用跑香、經行來調節身心；念佛的人，念佛之外，也要繞佛、拜願，這都是身心的娛樂。

人間佛教的育樂觀主張，修學佛法，固然要向經藏去探尋，向善知識去參訪，但也不能忘了在日常生活中，吃飯、穿衣、睡覺，處處都有佛法，只要能在生活中多用一點心去體會、去實踐，必能享有「有法樂，不樂世俗之樂」的幸福人生。

十六、正見之道——喪慶觀

生死既是每個人必經的過程，喪慶禮儀便和我人的生活息息相關。尤其中國人自古以來就把生死看成是人生的兩件大事，「慎終追遠」的孝親思想一直是中國固有文化中為人所稱譽的美德，此與佛教的「報恩」思想頗為符合。

生死是人生的兩件大事，依佛法的觀點來看，生不足喜，死亦不足悲，唯以莊嚴的心態面對之。因此，遇有親朋好友往生，應以莊重的心情參加弔喪；若逢喜慶，亦應前往祝賀如儀。

十七、環保之道——自然觀

自然是一種法則，自然就是不刻意、不造作，凡一切順理成章的道理，都叫自然。佛陀當初在菩提樹下證悟宇宙的真理「緣起性空」，實際上就是宇宙間「自然」的法則。甚至由緣起法則所衍伸出來的「業力自由」、「眾生平等」、「同體慈悲」、「生死一如」等觀念，能夠把生存與死亡統合起來，更將生命的尊嚴發揮到自然的極致。

佛教是個深具環保意識的宗教，不但注重內在的心靈環保，同時兼顧外在的生態平衡。主要的目的，不外希望大家都能在自然的生活下安居樂業，因為唯有順應自然，我們的心靈才得以解脫，我們的生命才能夠自由。順乎自然，一切才能生生不息。

十八、參政之道——政治觀

佛教與政治有著異曲同工之妙，彼此息息相關，相輔相成，不但政治需要佛教的輔助教化，佛教也需要政治的護持弘傳。因此，歷代以來佛教非但未曾與政治分離，而且一直保持良好的關係。

佛教不但有和諧政治的功能，並可幫助政治化導邊遠、消除怨恨、感化頑強，發揮慈悲教化的功效。今日佛教徒為了弘法利生，對政治不但不應抱持消極迴避的態度，相反的，應該積極關心，直下承擔。因為人在社會上誰也脫離不了政治，佛教徒雖不介入政治，但關心社會，關心政治，所謂「問政不干治」，這是佛教徒對政治應有的態度。

十九、包容之道——國際觀

二十一世紀已經成為「地球村」的時代，在地球村裡，雖然有許多的國家、許多的種族、許多的文化、許多的語言，但不會妨礙地球村的發展。從一個社區擴大到一個地球村，其道理都是一樣的。愈是與自己親近者，愛得愈深，愈是疏遠的人，能付出的愛愈少，所以佛教講「無緣大慈，同體大悲」，並非人人都能容易做得到，因此也就有聖凡之分。人間佛教的國際觀，就是要打破人我的界線，要本著「同體共生」的認識，互相包容、尊重，彼此平等、融和，大家共榮、共有。

二十、發展之道——未來觀

人生最大的悲哀，就是自己對前途沒有希望；有希望才有未來。談到「未來」，佛教不但講過去，佛教更講未來，並且非常重視未來，因為未來是我們的希望。

佛教的三世因果觀，帶給人生無限的希望與未來。所謂三世，前世、今生、來世，是三世；過去、現在、未來，也是三世；甚至前一秒、此一秒、下一秒，都是三世。三世在我的當下一念，在我的一心之中。因此吾人要好好的把握過去、現在、未來，使它善行循環，善念相繼，如此才能有美好的未來，才會有圓滿的人生。

文化文創 BCC021

星雲之道

領悟人間佛教

作者 ── 高希均
事業群發行人／CEO／總編輯 ── 王力行
副總編輯 ── 吳佩穎
主編 ── 項秋萍（特約）
責任編輯 ── 賴仕豪
美術指導 ── 張治倫（特約）
美術設計 ── 張治倫工作室 林姿婷 魏振庭（特約）
全書照片提供 ── 佛光山、《遠見》雜誌、遠見創意製作
封面題字 ── 余秋雨
封面畫作「星雲九十」── 李自健 繪

出版者 ── 遠見天下文化出版股份有限公司
創辦人 ── 高希均、王力行
遠見．天下文化．事業群 董事長 ── 高希均
事業群發行人／CEO ── 王力行
出版事業部副社長／總經理 ── 林天來
版權部協理 ── 張紫蘭
法律顧問 ── 理律法律事務所陳長文律師
著作權顧問 ── 魏啟翔律師
地址 ── 台北市 104 松江路 93 巷 1 號 2 樓
讀者服務專線 ──（02）2662-0012｜傳真 ──（02）2662-0007；2662-0009
電子信箱 ── cwpc@cwgv.com.tw
直接郵撥帳號 ── 1326703-6 號 遠見天下文化出版股份有限公司

製版廠 ── 中原造像股份有限公司
印刷廠 ── 中原造像股份有限公司
裝訂廠 ── 聿成裝訂股份有限公司
登記證 ── 局版台業字第 2517 號
總經銷 ── 大和書報圖書股份有限公司 電話／（02）8990-2588
出版日期 ── 2016 年 8 月 22 日第一版第 1 次印行

定價 ── NT500 元
ISBN ── 978-986-479-046-3
書號 ── BCC021
天下文化書坊 ── bookzone.cwgv.com.tw

國家圖書館出版品預行編目（CIP）資料

星雲之道：領悟人間佛教 / 高希均著．
-- 第一版．-- 臺北市：遠見天下文化，
2016.08
面 公分．--（文化文創；21）
ISBN 978-986-479-046-3(精裝)

1. 佛教 2. 文集

220.7 105013523